THE HEATH-CHICAGO GERMAN SERIES

PETER HAGBOLDT, *Editor*

GRADED GERMAN READERS

ALTERNATE SERIES

BOOK ONE

Pechvogel und Glückskind (*Volkmann-Leander*)

BOOK TWO

Das tapfere Schneiderlein (*Grimm*) and
Schneewittchen (*Grimm*)

BOOK THREE

Erzählungen und Anekdoten (*Hagboldt*)

BOOK FOUR

Eine Nacht im Jägerhaus (*Hebbel*) and Die
Geschichte von Kalif Storch (*Hauff*)

BOOK FIVE

Alle fünf! (*Stökl*)

Graded German Readers

PREPARED BY

PETER HAGBOLDT
The University of Chicago

ALTERNATE SERIES

BOOKS ONE TO FIVE

D. C. HEATH AND COMPANY
BOSTON

PRINTED IN THE UNITED STATES OF AMERICA

PREFACE

" Alternate Series " does not mean that these readers use exactly the same words as the corresponding booklets of the first Series. No such arrangement was found feasible: the differences in the text compel the use of a somewhat different vocabulary.

However, this enforced change will result, I believe, in a distinct benefit to the student. When I began to write the first of my graded readers in 1932 the Wadepuhl-Morgan *Minimum Standard German Vocabulary* did not exist. It was not until 1934 that this list was officially approved and adopted by the American Association of Teachers of German. (Cf. *German Quarterly*, May, 1934, pp. 87–119.) Now, however, it is possible to take advantage of the word-lists prepared by Wadepuhl-Morgan and Purin, as well as of the word-list studies of Vail and others, and I have done so in this Series. While I have always endeavored to use as many words of high frequency as possible, the present Series marks a certain advance over the previous one in consistently striving for the inclusion of the 1018 starred words of the *Minimum Standard German Vocabulary*. I have actually found it possible to include about 85 per cent of those words in these five booklets.

I have not changed the technique of vocabulary presentation used in the first Series, for I am still convinced that the facile recognition and the correct interpretation of word stems is one of the important elements in the technique of learning to read German.

The items marked by a double asterisk are the ones so marked in C. M. Purin's *Standard German Vocabulary of 2932 Words and 1500 Idioms* (Heath, 1937). These items are in the first 500 most frequent words of the German language, and they include the 400 words given by Arnold A. Ortmann as being common to twelve frequency word lists examined by him. (Cf. *German Quarterly*, May, 1935, pp. 119–128.)

The words preceded by a single asterisk are words so marked in the *Minimum Standard German Vocabulary* prepared in dictionary form by Walter Wadepuhl and B. Q. Morgan (Crofts, 1936). Like the double starred items mentioned above they are among the 1018 starred words in that list.*

Items not starred in the vocabulary are of three types:

*Note that in the above mentioned lists there are a number of inconsistencies in the starring of words. A number of items are starred in Wadepuhl-Morgan which are not starred in Purin, and vice versa. This difference is due to the fact that several other word lists appeared after the Wadepuhl-Morgan booklet and that these were consulted by Purin in the preparation of his list.

1) full and partial cognates: *Amerika, Antonym, blond, Titel;*

2) words other than the 1018 most frequent ones: *anlegen, ansehen, aufstehen;*

3) words which the student will probably know after studying the first lessons of an elementary grammar: *ich, du, er,* etc.; *bin, bist, ist,* etc.; *die, der, das,* etc., etc. Words listed in group 3 are listed (in Booklet One) but not counted.

In order to encourage and facilitate early reading I have not only translated, as far as possible, each new word on the page where it first occurs, but at the end of each booklet I have also given a complete vocabulary.

The first two booklets are written entirely in the present tense. Idioms are listed in the order of occurrence at the end of the vocabulary.

The five alternate readers on the first or elementary level are:

1. *Pechvogel und Glückskind,* using 375 words and 40 idioms

2. *Das tapfere Schneiderlein* and *Schneewittchen,* adding 230 words and 30 idioms

3. *Erzählungen und Anekdoten,* adding 210 words and 20 idioms

4. *Eine Nacht im Jägerhaus* and *Die Geschichte von Kalif Storch,* adding 145 words and 17 idioms

5. *Alle fünf!* adding 95 words and 17 idioms

Total vocabulary, approximately 1055 words and 124 idioms, of which about 848 words are among those starred in the Wadepuhl-Morgan *Minimum Standard German Vocabulary*.

Even in the early stages of German instruction, the student will profit from interesting reading matter presented in simple and clear language within a restricted vocabulary. Such a requirement makes it impossible to use original German texts without alteration. I should like to have the stories offered in this series regarded primarily as exercise material, hoping that my deviations from originals will be understood as prompted by that principle.

It is a pleasure to express gratitude to Professors Werner F. Leopold and C. R. Goedsche of Northwestern University and B. Q. Morgan of Stanford University for their careful and critical reading of the manuscripts as well as of the proofs.

PETER HAGBOLDT

Pechvogel und Glückskind

RETOLD AND EDITED AFTER THE GERMAN OF
RICHARD VON VOLKMANN-LEANDER

BY

PETER HAGBOLDT

The University of Chicago

Introducing 375 words of high frequency
and 40 common idioms

BOOK ONE — ALTERNATE

D. C. HEATH AND COMPANY

BOSTON

Ich tue, was sie verlangt, und knie nieder ins Gras.

PECHVOGEL UND GLÜCKSKIND

Verstehen[1] wir diesen Titel? — Ja?[2] — Nein?[2] — Nein, diesen Titel verstehen wir nicht.[3]

Das deutsche[4] Wort *Pech* bedeutet[5] auf englisch[6] *pitch*. Das deutsche Wort *Vogel* bedeutet 5 auf englisch *bird*. Das deutsche Wort *Pechvogel* bedeutet also[7] auf englisch so viel wie[8] *unlucky or unfortunate bird, fellow or person*.

Das Antonym[9] (*opposite*) von Pechvogel ist Glückskind. Das Wort *Glück* bedeutet auf 10 englisch *luck or good fortune*. *Kind* bedeutet auf englisch *child*. Das deutsche Wort Glückskind bedeutet also auf englisch *fortunate person, lucky chap or person*. In Amerika und England sagen wir zu einem *Glückskind* oft: *lucky dog!* 15

Ein Pechvogel hat kein Glück, er ist also nicht glücklich. Er hat viel Unglück und ist also unglücklich. *Glücklich* bedeutet auf englisch *lucky, fortunate, happy*. *Unglück* bedeutet

---

[1] **verstehen,** understand.   [2] **ja,** yes, indeed, to be sure; **nein,** no.   [3] **nicht,** not.   [4] **deutsch,** German.   [5] **bedeuten,** mean, signify.   [6] **auf englisch,** in English.   [7] **also,** thus, so; therefore.   [8] **so viel wie,** as much as; *here:* the same as.   [9] Pronounce: Antonü'hm.

1

bad luck, misfortune. *Unglücklich* bedeutet *unfortunate, unhappy.*

Ein Glückskind hat kein Unglück. Ein Glückskind hat viel Glück und ist also glück-
5 lich.

Und nun beginnen wir. Wir beginnen zu erzählen.[1] Wir erzählen von dem Pechvogel und dem Glückskind. Der Pechvogel beginnt und erzählt:

I

10 Ich bin ein Mann. Ich bin nicht alt, ich bin jung. Ich bin ein junger Mann.

Ich wohne[2] in einer Stadt.[3] Die Stadt ist nicht groß,[4] die Stadt ist klein.[4]

Ich bin ein junger Mann und wohne in einer
15 kleinen Stadt.

Der Name meines Großvaters war[5] Pechvogel. Der Name meines Vaters war Pechvogel. Auch[6] mein Name ist Pechvogel.

Mein Vater und meine Mutter, mein Groß-
20 vater und meine Großmutter sind tot.[7] Ich habe keinen Onkel. Alle meine Onkel sind tot.

Ich wohne in dem Hause einer Tante. Diese Tante ist nicht jung, sie ist alt. Sie ist nicht

---

[1] **erzählen,** tell, narrate.   [2] **wohnen,** dwell, live.   [3] **die Stadt,** city, town.   [4] **groß,** great, grand; big, tall; **klein,** little, small.   [5] **war,** was.   [6] **auch,** also, too.   [7] **tot,** dead.

klein, sie ist groß. Sie ist nicht dick, sie ist
dünn. Sie ist dünn und lang.

Diese alte, dünne, lange Tante ist nicht gut,[1]
o nein, sie ist böse.[1] Die böse Tante schlägt[2]
mich oft. 5

Die böse Tante geht oft in die Kirche.[3] Wenn
sie aus der Kirche kommt, schlägt sie mich.
Sie geht jeden[4] Tag[5] in die Kirche, also schlägt
sie mich jeden Tag.

Nein, ich habe kein Glück. Ich bin ein 10
Pechvogel und habe zu viel Unglück.

Zum Beispiel[6]: Ich nehme[7] ein Glas in die
Hand. Alle Gläser fallen. So auch mein Glas.
Mein Glas fällt aus der Hand auf den Boden.
Das Glas liegt nun in vielen kleinen Stücken[8] 15
auf dem Boden.

Ich nehme die kleinen Stücke des Glases vom
Boden. Ich nehme sie in die Hand und
schneide[9] mich in die Finger.[9]

Die dünne, lange Tante nimmt die kleinen 20
Stücke aus meiner Hand und sagt:

„Wie dumm du bist! Zu dumm bist du!
Wie kann ein Glas fallen? Sage mir, wie kann

---

[1] **gut,** good, well; **böse,** bad, evil; angry. [2] **schlagen,**
beat, strike. [3] **die Kirche,** church. [4] **jeder,** each, every.
[5] **der Tag,** day. [6] **das Beispiel,** example; **zum Beispiel,** for
example. [7] **nehmen,** take. [8] **das Stück,** piece. [9] **sich
schneiden,** cut oneself; **ich schneide mich in die Finger,** I
cut my fingers.

3

ein gutes, altes Glas auf den Boden fallen?
Und wie kannst du dich in die Finger schneiden?"

Ich sage kein Wort. Da wird sie böse und
5 schlägt mich wieder[1] und wieder.

Eines Tages[2] ist auch meine alte, lange,
böse Tante tot. Sie ist tot, und ich bin allein.

Ich sitze eines Tages vor dem Hause der
Tante und denke[3] an[3] meine Mutter und
10 meinen Vater. — Denke ich auch an die Tante?
— Ja, auch an sie denke ich. Ich denke:
„Nun bist du tot, nun bist du gut. Du
schlägst mich nicht mehr,[4] aber nun bin ich
allein, allein." Ich werde wieder traurig.[5]

15 Traurig gehe ich in den Garten meiner guten
Tante und beginne zu graben.[6] Ich grabe ein
Grab.[6] Ich grabe ein gutes, langes Grab, und
bald[7] bin ich fertig.[8]

Ich grabe wieder und setze einen Busch, ei-
20 nen Rosenbusch auf das Grab meiner guten
Tante. Ich setze zwei (two), drei (three), vier
(four) Rosenbüsche auf ihr Grab und denke:
„Bald werden sie blühen.[9] Wenn sie blühen,
bin ich weit,[10] weit von hier."

---

[1] **wieder,** again.   [2] **eines Tages,** one day.   [3] **denken (an),**
think (of).   [4] **nicht mehr,** no longer.   [5] **traurig,** sad.
[6] **graben,** dig; **das Grab,** grave.   [7] **bald,** soon.   [8] **fertig,**
ready; finished.   [9] **blühen,** bloom, blossom.   [10] **weit,** far,
distant, wide.

Ich bin fertig, und das Grab ist fertig. Nun liegt meine gute Tante im Grabe. Aber ich bin allein und werde wieder traurig.

II

Eines Tages sitze ich wieder vor dem kleinen Hause meiner guten Tante und denke: „Was 5 nun? Das Beste ist, ich gehe in die weite Welt.[1] Ich will und muß mein Glück finden. Hier habe ich zu viel Unglück. Hier geht es mir nicht gut.[2] Hier ist alles schlecht.[3] Schlechter[3] kann es mir nicht gehen. In der großen, weiten 10 Welt wird alles besser.“

Ich gehe in das kleine Haus meiner guten Tante und nehme mein Geld.[4] Das Geld stecke ich in die Tasche.[5] Mit dem Gelde in der Tasche wandere ich aus der kleinen Stadt. 15 Vor der Stadt ist ein Strom. (Ein Strom ist ein großer Fluß. Ein Fluß ist ein kleiner Strom.) Eine Brücke[6] führt[7] über den Strom. Ich stehe[8] auf der Brücke und bleibe[9] stehen.[9] Ich sehe[10] eine kleine Weile in das Wasser des 20 Flusses. Und ich sehe meine alte, kleine Stadt. Sie liegt an der einen Seite des Stromes.

[1] die Welt, world.   [2] es geht mir gut, I am (getting along) well.   [3] schlecht, bad, wicked; schlechter, worse.   [4] das Geld, money.   [5] die Tasche, pocket.   [6] die Brücke, bridge.   [7] führen, lead.   [8] stehen, stand.   [9] bleiben, remain; stehenbleiben, stop.   [10] sehen, see, look.

5

Aber da kommt ein Wind und nimmt meinen
Hut. Der Hut fällt ins Wasser. Er bleibt auf
dem Wasser. Er schwimmt.[1] Ich sehe ihn
an der einen Seite des Flusses. Er ruft,[2] ruft
5 laut:

"Pechvogel, dumm bist du, dumm bleibst
du. Ich schwimme in die weite Welt hinaus,[3]
und du bleibst zu Hause."[4] — "Zu Hause?"
rufe ich laut. "Ich habe kein Zuhause,"[4] und
10 ich wandere weiter.[5]

Ohne Hut wandere ich weiter. Der Weg[6] ist
lang, die Sonne ist warm. Frohe[7] Wanderer
kommen des Weges,[6] froh und glücklich, und
singen fröhliche[7] Lieder.
15 Sie kommen zu mir und sagen: "Komm mit.[8]
Wir gehen in die weite Welt hinaus, komm mit
und singe ein fröhliches Lied wie wir."

Ich aber sage: "Ich kann nicht mitkommen.[8]
Ich habe kein Glück, und ich bringe kein
20 Glück. Ich singe, aber ich singe kein fröhliches
Lied wie ihr. Mein Name ist Pechvogel."

Die Wanderer hören[9] meinen Namen und

---

[1] **schwimmen,** swim; float. [2] **rufen,** call; shout. [3] **hinaus,**
out; **ich schwimme in die weite Welt hinaus,** I swim out into
the wide world. [4] **zu Hause,** at home; **das Zuhause,** home.
[5] **weiter,** on, further; farther. [6] **der Weg,** way, path, road;
des Weges kommen (gehen), come (go) along the way. [7] **froh,**
fröhlich, joyful, glad, happy. [8] **mit,** with; *here:* along; **mit-**
kommen, come along. [9] **hören,** hear.

6

werden still. Still gehen sie ihres Weges und singen nicht mehr.

Bald komme ich zu einem kleinen Wirtshaus.[1] Ich gehe in das Wirtshaus und sage zu dem dicken Wirt: „Bring Wein, viel Wein, viel 5 guten Wein."

Ich finde eine Ecke,[2] eine stille Ecke. „Hier bin ich allein," denke ich bei mir.[3]

Ich sitze in der Ecke. Nach einer Weile bringt der dicke Wirt den Wein. Ich trinke 10 nicht und sehe still in mein Glas.

Da sehe ich im Glase meine Mutter, meinen Vater und die alte Tante; und ich sehe all mein Unglück in dieser schlechten Welt. Ich sehe meinen Hut im Wasser des Stromes schwimmen 15 und höre, was er ruft:

„Dumm bist du, dumm bleibst du! Ich schwimme in die weite Welt hinaus, und du bleibst allein zu Hause!"

Auf einmal[4] fühle[5] ich eine Hand auf meinem 20 Arm und höre die Worte:

„Warum[6] trinkst du nicht? Und warum bist du so traurig?"

Die junge Tochter[7] des dicken Wirtes steht vor mir. Ich beginne zu erzählen. Ich erzähle, 25

[1] **der Wirt,** innkeeper + **das Haus** = **das Wirtshaus,** inn, tavern. [2] **die Ecke,** corner. [3] **ich denke bei mir,** I think to myself. [4] **einmal,** once; **auf einmal,** all at once. [5] **fühlen,** feel. [6] **warum,** why. [7] **die Tochter,** daughter.

7

so gut wie ich kann, aber die junge Tochter des
Wirtes versteht meine Worte nicht. Da sage
ich ihr meinen Namen.

„Pechvogel? Du bist ein Pechvogel?" sagt
5 sie. Dann[1] wird sie auf einmal still, sagt kein
Wort mehr und geht hinaus.

III

Bald bin ich wieder auf dem Wege und wandere in die weite Welt hinaus. Ich denke bei
mir: „Schlechter kann es nicht gehen. Einmal
10 wird es besser, das fühle ich."

Dann gehe ich weiter, viele Tage lang. Eines Tages komme ich auf einen herrlichen[2]
Weg und bleibe stehen. Vor mir liegt ein
großer, herrlicher Park. Der Park liegt hinter
15 einem Geländer (*railing*). Das Geländer ist
aus Gold.[3] Durch das goldene Geländer sehe
ich viele hohe[4] Bäume[5] und Büsche. Die hohen
Bäume und die Büsche blühen.

In der Mitte[6] des herrlichen Parks steht
20 hinter den schönen,[7] hohen Bäumen ein altes
Schloß.[8] Ein Bach[9] ist in der Mitte des Parks.
Das Wasser in diesem Bache ist klar wie Kri-

---

[1] **dann**, then.   [2] **herrlich**, splendid, excellent, glorious.
[3] **aus Gold** made of gold.   [4] **hoch**, high.   [5] **der Baum**, tree.
[6] **die Mitte**, middle, center.   [7] **schön**, beautiful.   [8] **das
Schloß**, castle, palace.   [9] **der Bach**, brook.

stáll.* Kleine Brücken aus Stein[1] führen über den Bach.

Schöne Wege führen durch den Park. Auf den Wegen wandern junge Rehe (*deer*). Die Rehe sind zahm. Ein zahmes Reh steckt seinen schönen Kopf[2] durch das goldene Geländer. Ich nehme Brot[3] aus der Tasche, und das schöne, zahme Reh nimmt das Brot aus meiner Hand.

Ich gehe das Geländer entlang[4] und komme auf einmal an ein Tor.[5] Das Tor ist geöffnet.[6] Von dem geöffneten Tor führt ein langer, schöner Weg zu dem herrlichen Schloß.

An dem geöffneten Tor bleibe ich stehen. Das Tor führt in einen Garten. In dem Garten ist alles still. Ich höre und sehe nichts.[7]

Am Tor hängt ein Schild.[8] „O, ein Schild," denke ich bei mir, „ein Schild, wie immer[9] an einem Tor. Wo ein geöffnetes Tor in einen schönen Garten führt, da hängt immer ein Schild, und auf dem Schild stehen immer zwei Worte: Verbotener[10] Weg!"

---

[1] **aus Stein,** made of stone.   [2] **der Kopf,** head.   [3] **das Brot,** bread.   [4] **entlang,** along; **das Geländer entlang,** along the railing.   [5] **das Tor,** gate.   [6] **geöffnet** (*p.p. of* **öffnen**) opened.   [7] **nichts,** nothing.   [8] **das Schild,** sign(board).   [9] **immer,** always.   [10] **verboten** (*p.p. of* **verbieten**), prohibited, forbidden.

* The sign ′ over a vowel within the text denotes that the vowel is short and stressed.

9

Ich sehe[1] das Schild an.[1] Ich sehe es wieder und wieder an. Aber auf dem Schild steht nicht: „Verbotener Weg!" Da stehen die Worte „Weinen[2] verboten!"

5 „Ein dummes Schild," denke ich bei mir. „Weinen verboten. Was kann das bedeuten?"

Dann gehe ich den herrlichen Weg entlang in den Garten.

Fürchte ich mich,[3] den herrlichen Weg ent-
10 lang zu gehen? — Nein, ich fürchte mich vor nichts, denn[4] ich weine nicht und werde nicht weinen.

Aber jeden Tag gehe ich nicht durch ein goldenes Tor in einen schönen Garten zu einem
15 herrlichen, alten Schloß. Und vielleicht[5] ist der Weg verboten. Ich habe ein wenig[6] Furcht[3] und sage mir:

„Besser ist besser. Ich finde vielleicht einen anderen[7] Weg."

20 Ja, bald finde ich einen anderen. Er liegt zwischen den alten Rosenbüschen des Gartens und führt in einen kleinen Wald.[8] Ich gehe in den Wald und finde einen kühlen Waldweg. Der kühle Waldweg führt auf einen kleinen

---

[1] **ansehen,** look at. [2] **weinen,** weep, cry, shed tears. [3] **sich fürchten** (vor + *dat.*), be afraid (of); **die Furcht,** fear, fright. [4] **denn,** for. [5] **vielleicht,** perhaps. [6] **ein wenig,** a little. [7] **ander,** other. [8] **der Wald,** woods, forest.

Berg.[1] Er führt zu der Spitze[2] des Berges.
Der Berg ist nicht hoch. Ich wandere weiter
und komme bald zur Spitze.

Da sehe ich auf einmal ein schönes Mädchen.[3]
Das Mädchen sitzt im Grase. Ich bleibe stehen 5
und sehe sie an. Sie ist schön, sehr[4] schön.
Ich muß sie immer ansehen.

look at her.

IV

Das schöne Mädchen hat eine Krone[5] auf
dem Kopf. Der Kopf ist klein und schön, sehr
schön. Ihr Haar ist fein, lang und blond. 10

Nun nimmt sie die Krone von ihrem wunderschönen[6] blonden Kopf. Die Krone ist aus
Gold, wie Kronen immer sind. Auf das feine
blonde Haar scheint die Sonne. ,,Es ist wie
das feinste Gold,'' denke ich bei mir. 15

Sie legt[7] die Krone auf die Knie. Das wunderschöne Mädchen hat eine Schürze (*apron*).
Die Schürze ist aus feiner Seide.[8] Sie nimmt
die Krone von ihren Knien, nimmt dann die
seidene[8] Schürze und putzt[9] ihre Krone. Wieder 20
und wieder bläst[10] sie auf die Krone. Sie bläst
und putzt, bläst und putzt.

[1] **der Berg,** mountain.   [2] **die Spitze,** point, top, summit.
[3] **das Mädchen,** girl, maiden.   [4] **sehr,** very.   [5] **die Krone,**
crown.   [6] **wunderschön,** extremely beautiful.   [7] **legen,** lay,
put, place.   [8] **die Seide,** silk; **seiden,** silken.   [9] **putzen,**
polish; adorn.   [10] **blasen,** blow.

Die Krone ist nun sehr blank (*shiny*). Das wunderschöne Mädchen wird fröhlich. Sie streicht[1] ihr goldenes Haar aus der schönen Stirn,[2] setzt die Krone wieder auf den feinen 5 Kopf und streicht das blonde Haar aus der Stirn unter die Krone.

Das alles sehe ich. Mein Herz[3] schlägt laut. Fürchte ich mich ein wenig? — Vielleicht ja.

Ich trete[4] hinter einen Busch und lege[5] mich[5] 10 ins Gras.

Aber warum schlägt mein Herz so laut? Warum trete ich hinter einen Busch? Warum lege ich mich ins Gras?

Ich liege still hinter einem Busch. Ein 15 Zweig[6] legt sich über meine Nase. Ein Wind kommt und bewegt[7] den Zweig. Er bewegt den Zweig über meine Nasenspitze und kitzelt (*tickles*) mich. Da muß ich niesen (*sneeze*).

Das wunderschöne Mädchen bewegt sich. 20 Auf einmal wendet[8] sie den Kopf. Sie wendet sich zu mir und sieht mich im Grase hinter dem Busch.

„Warum liegst du da?" ruft sie. „Was willst du? Willst du mir etwas[9] Böses tun,[9] oder 25 fürchtest du dich vor mir?"

---

[1] **streichen,** stroke. [2] **die Stirn,** forehead. [3] **das Herz,** heart. [4] **treten,** step, walk. [5] **sich legen,** lie down. [6] **der Zweig,** twig. [7] **sich bewegen,** move, stir. [8] **sich wenden,** turn. [9] **etwas,** something, some; **etwas Böses tun,** do evil, do harm.

Mein Herz schlägt laut. Ich trete aus dem Busch und wende mich zu ihr. Ich will etwas sagen, finde aber keine Worte.

Sie sieht mich an und sagt dann:

„Nein, du tust mir nichts Böses. Komm [5] einmal her,[1] setze dich ins Gras. Meine Freunde[2] und Freundinnen[2] sind nicht hier, kommen aber sogleich[3] wieder zurück.[4] — Komme her, setze dich zu mir. Du kannst mir sogleich etwas erzählen. Erzähle aber etwas Fröhliches, [10] etwas Schönes, etwas zum Lachen,[5] hörst du? Ich bin immer fröhlich und lache gern."[6]

Ich stehe still und sehe sie an.

„Aber du siehst[7] so traurig aus,"[7] sagt sie dann. „Warum siehst du so traurig aus? Wenn du [15] lachst, ist es viel besser. Lache ein wenig!"

„Ich kann nicht lachen," antworte[8] ich, „aber wenn du willst, setze ich mich gern ein wenig zu dir, sehr, sehr gern, denn ich habe nie[9] etwas so Schönes gesehen,[10] wie dich." [20]

Ich sitze im Grase und sehe ihren feinen Kopf, das herrliche blonde Haar und die goldene Krone. Nach einer Weile sage ich:

[1] **her,** here, hither, (toward me). [2] **der Freund,** friend, *m.;* **die Freundin,** friend, *f.* [3] **sogleich,** at once, immediately. [4] **zurück,** back. [5] **lachen,** laugh; **etwas zum Lachen,** something funny. [6] **gern,** willingly, with pleasure; **ich lache gern,** I like to laugh, am fond of laughing. [7] **aussehen,** look, appear. [8] **antworten,** answer, reply. [9] **nie,** never. [10] **gesehen** (*p.p. of* **sehen**) seen.

„Sage mir deinen Namen. Wer bist du?"

„Mein Name ist Glückskind, und dies ist meines Vaters Garten," antwortet sie.

V

„Was tust du denn hier so allein?" frage[1] ich.

Sie antwortet: „Ich gebe meinen Rehen Futter[2] und putze meine Krone."

„Und dann?" frage ich weiter.

„Dann gebe ich meinen Goldfischen Futter."

„Und wenn du damit[3] fertig bist?"

„Wenn ich damit fertig bin, dann kommen meine Freunde und Freundinnen zurück, und dann lachen, singen und tanzen wir."

„Ach,[4] welch[5] ein herrliches Leben[6] du führst! Welch ein gutes, schönes, wunderschönes Leben! Und so lebst[6] du jeden Tag?"

„Ja, so lebe ich jeden Tag. — Nun aber sag mir einmal, wer du bist und wie du heißt."[7]

„Ach, schöne Prinzessin, verlange[8] das nicht. Verlange alles, aber verlange das nicht."

„Und warum nicht?"

„Ich bin der unglücklichste Mensch[9] unter

---

[1] **fragen,** ask, inquire. [2] **das Futter,** fodder, feed. [3] **damit,** with it *or* that. [4] **ach!** ah, oh, alas! [5] **welch,** which, what. [6] **das Leben,** life; **leben,** live. [7] **heißen,** be called, be named. [8] **verlangen,** require, demand. [9] **der Mensch,** human being, person.

der Sonne und habe den häßlichsten[1] Namen,
den häßlichsten Namen der Welt. Ich hasse[1]
meinen Namen."

„Das verstehe ich sehr gut. Jeder haßt einen
häßlichen Namen, denn ein häßlicher Name 5
ist nicht schön. In meines Vaters Ländern zum
Beispiel lebt ein Mensch, der heißt Entensuppe
(*Duck Soup*), und ein anderer heißt Fettfleck
(*Grease Spot*). Heißt du vielleicht Fettfleck
oder Entensuppe?" 10

„Nein, so heiße ich nicht," antworte ich
traurig. „Entensuppe heiße ich nicht und
Fettfleck auch nicht. Mein Name ist viel
häßlicher."

„Und wie heißt du denn?" fragt sie. 15

„Du verlangst viel, wunderschöne Prinzessin.
Muß ich es wirklich[2] sagen?"

„Du mußt!"

„Ach, ich heiße Pechvogel."

„Pechvogel heißt du? Das ist aber zum 20
Lachen!"

„Nein, nicht zum Lachen, es ist traurig."

„Kannst du denn wirklich keinen anderen,
schöneren Namen finden?"

„Wie soll[3] ich das anfangen?[4] Ein häßlicher 25
Name ist wirklich ein großes Unglück."

---

[1] **häßlich**, ugly, hateful; **hassen**, hate.   [2] **wirklich**, real(ly).
[3] **sollen**, shall, be to.   [4] **anfangen** = **beginnen**, begin, start;
wie soll ich das anfangen? how shall I do that *or* go about it?

„Wie du das anfangen sollst? — Ich will
einen anderen, viel schöneren Namen für dich
suchen.[1] Und dann bitte[2] ich meinen Vater, dir
diesen Namen zu geben."

5 „Kann er das?"[3]

„Ja, mein Vater kann alles, und er tut es,
wenn ich ihn nur[4] bitte."

„Wer ist dein Vater?"

„Mein Vater ist der König[5] dieses Landes."

10 „König dieses Landes?" frage ich, und mein
Herz schlägt wieder sehr laut.

„Ja, König," antwortet sie. „Ich werde ihn
für dich bitten. Nur mußt du sogleich ein fröhliches Gesicht[6] machen.[6] Ein fröhliches Gesicht
15 kann ich verlangen. — Nimm einmal sogleich
die Hand von der Stirn. — So, nun siehst du
ein wenig besser aus. Nun nimm die Hand von
der Nase fort.[7] Deine Nase ist nicht schlecht,
nur muß man[8] sie sehen. — Und warum hängt
20 dein Haar in die Stirn? Streich es einmal zurück! — So, das ist besser."

Ich tue, was sie sagt, und fühle mein Herz
laut schlagen.

„Nun sag einmal, warum siehst du so traurig

---

[1] **suchen,** seek, look for.   [2] **bitten,** ask, request, beg.
[3] **tun,** do, *is understood.*   [4] **nur,** only.   [5] **der König,** king.
[6] **das Gesicht,** face; **machen,** make; **ein fröhliches Gesicht
machen,** put on a happy face.   [7] **fort,** away.   [8] **man,** one,
they, people.

aus ? Ich bin immer fröhlich, und jeder Mensch freut[1] sich, wenn ich komme; nur du freust dich nicht."

VI

"Ich freue mich wirklich sehr, schöne Prin- zessin; ich kann dir nicht sagen, wie sehr ich 5 mich freue. Aber du fragst, warum ich ein trauriges Gesicht mache. Mein Leben ist traurig, also bin auch ich traurig."

Sie sieht mich aus ihren schönen blauen[2] Augen[3] an. 10

Ich frage also weiter: "Und du bist immer fröhlich und nie unglücklich?"

"Nein, ich bin nie unglücklich," sagt sie. "Eine gute Fee (*fairy*) hat mich einmal auf die Stirn geküßt[4] und gesagt[5]: ,Immer sollst du 15 fröhlich sein. Dein Name ist Glückskind. Im- mer wirst du alle Menschen glücklich machen. Traurige Menschen sehen dich an und ver- gessen[6] ihr Unglück.'

Das hat die gute Fee gesagt. Nie werde ich 20 es vergessen. — Und du, hat dich nie eine gute Fee auf die Stirn geküßt ?"

---

[1] **sich freuen,** be happy *or* glad.   [2] **blau,** blue.   [3] **das Auge,** eye.   [4] **geküßt** (*p.p. of* **küssen**) kissed.   [5] **gesagt** (*p.p. of* **sagen**) said.   [6] **vergessen,** forget.

„Nein, nie, nie," antworte ich schnell[1] und schlage[2] die Augen nieder.[2]

Dann wird sie still. Ihre herrlichen blauen Augen sehen mich wieder an, und sie fragt:

5 „Muß es wirklich immer eine Fee sein?"

Ich verstehe ihre Frage[3] nicht, und wieder schlage ich die Augen nieder und sehe ins Gras.

„Eine Prinzessin ist auch etwas," sagt sie

10 nun. „Komm einmal her. — So, knie[4] nieder, du bist mir zu groß."

Ich tue, was sie verlangt, und knie nieder ins Gras. Dann tritt sie vor mich, gibt mir schnell einen Kuß[5] auf die Stirn, und fort

15 ist sie.

Ich vergesse nie im Leben die blauen Augen der wunderschönen Prinzessin, ihre Frage und ihren Kuß. Immer muß ich an sie denken.

Noch[6] immer[6] knie ich im Grase und denke

20 bei mir: „Träume[7] ich? Ist alles nur ein Traum,[7] ein herrlicher Traum? — Was hat sie gesagt? — Hat sie mich wirklich geküßt?" — Ja! — Und nun fühle ich, es ist kein Traum, denn ich bin nicht mehr traurig.

---

[1] **schnell,** quick(ly), fast.   [2] **nieder,** down; **ich schlage die Augen nieder,** I cast down my eyes.   [3] **die Frage** (*cf.* **fragen**) question.   [4] **knien,** kneel.   [5] **der Kuß** (*cf.* **küssen**) kiss.   [6] **noch,** still, yet; **noch immer = immer noch,** still.   [7] **träumen,** dream; *noun:* **der Traum.**

18

Wo ist mein Hut? — Wer weiß[1] wo! Wenn
ich wieder einen Hut habe, dann werfe[2] ich ihn
in die Luft.[3] Wenn ich meinen Hut in die Luft
werfe, dann fliegt[4] er schnell fort,[4] wie ein Vogel
in die schöne, weite Welt hinaus.   5

Immer noch knie ich im Grase und weiß nicht
warum. Ich vergesse wirklich alles, mich und
die Welt. Nur sie vergesse ich nie.

Langsam,[5] sehr langsam stehe[6] ich auf.[6] Ich
suche im Garten und sehe, sie ist fort. Aber 10
ich lache und freue mich.

Nun bin ich wirklich ein anderer Mensch.
Ich gehe schnell; oder besser, ich fliege durch
den Garten, fliege durch das Tor, fliege das
goldene Geländer entlang und komme wieder 15
auf den Weg. Ich singe ein fröhliches Lied
und wandere glücklich meines Weges.

Bald komme ich in ein kleines Dorf.[7] Das
Dorf ist freundlich.[8] Die Menschen sehen mich
freundlich an. Was will ich zunächst?[9] Zu- 20
nächst will ich etwas kaufen[10] und suche einen
Laden.[11] Ich finde einen Laden. Freundliche
Menschen fragen mich, was ich kaufen will.
Ich antworte:

---

[1] **wissen,** know (have knowledge of).   [2] **werfen,** throw.
[3] **die Luft,** air.   [4] **fliegen,** fly; **fortfliegen,** fly away.   [5] **lang-**
sam, slow(ly).   [6] **aufstehen,** get up, rise.   [7] **das Dorf,** village.
[8] **freundlich** (*cf.* **der Freund**) friendly; cheerful.   [9] **zunächst,**
first of all.   [10] **kaufen,** buy, purchase.   [11] **der Laden,** store.

19

„Zunächst einen Rock,[1] einen roten[2] Rock aus Samt (*velvet*) und Seide."

Man bringt mir viele rote Röcke, und ich kaufe, was ich will, einen wunderschönen roten 5 Rock aus Samt und Seide.

Man fragt mich, was ich noch kaufen will, und ich antworte:

„Einen schönen Hut mit Federn,[3] mit zwei weißen[4] und zwei roten Federn."

10 Man bringt mir viele Hüte mit weißen und roten Federn. Ich nehme mein Geld aus der Tasche und kaufe einen.

Was nun? Was muß ich noch haben? — Ein Pferd,[5] ein schnelles Pferd. — Sehr bald 15 finde ich ein schönes, weißes, schnelles Pferd. Ich kaufe das weiße Pferd, setze mich in den Sattel und reite[6] schnell aus dem kleinen Dorf.

Ich bin kein guter Reiter[6] und auch kein schlechter. Mein Pferd aber ist gut, sehr gut. 20 Es läuft[7] nicht, es fliegt.

„Pechvogel heiße ich?" denke ich bei mir. „Ja, immer noch heiße ich Pechvogel. — Ein Name nur, nur ein Name! — Bald werde ich einen anderen, viel besseren finden. In der

---

[1] **der Rock,** coat. [2] **rot,** red. [3] **die Feder,** feather, plume; pen. [4] **weiß,** white. [5] **das Pferd,** horse. [6] **reiten,** ride (on horseback); **der Reiter,** horseman. [7] **laufen,** run, leap; walk, go (on foot).

20

weiten Welt wird alles besser. Schön ist die
Welt, und herrlich ist das Leben!"

VII

Und nun soll das arme[1] Glückskind weiter-
erzählen. Die Prinzessin erzählt:

Ich laufe und laufe. — Warum? — Pechvogel
heißt er, und ich habe ihn geküßt. Ich habe
ihn auf die Stirn geküßt und ihm gesagt, wer
ich bin. — Was nun? — Was soll ich nun
anfangen?[2]

Ich laufe immer noch. — Warum? — Nun
gehe ich langsamer und langsamer. Endlich[3]
setze ich mich nicht weit vom Schlosse ins Gras
und fange an, bitterlich zu weinen.

„Was soll mein lieber[4] Vater sagen," denke
ich bei mir. „,Weinen verboten,' steht auf dem
Schild am Tor."

Meine Freunde und Freundinnen kommen
endlich zurück und finden mich. Sie wollen
mich trösten,[5] aber es hilft[6] alles nichts.[6] Niemand[7] kann mich trösten, und niemand kann
mir helfen. Ich finde keinen Trost.[5] — Was
soll ich nun anfangen?

---

[1] arm, poor.   [2] was soll ich nun anfangen? what shall
I do now?   [3] endlich, finally.   [4] lieb, dear, beloved.
[5] trösten, console; der Trost, consolation.   [6] helfen, help;
es hilft alles nichts, nothing does any good.   [7] niemand,
nobody, no one.

21

Meine Freunde und Freundinnen fürchten sich, laufen schnell zu meinem lieben Vater und sagen:

„Um Gottes willen,[1] Herr König, ein Unglück,
5 ein großes Unglück für das ganze[2] Land! Prinzessin Glückskind sitzt im Garten und" —

„Und," ruft der König und steht auf.

„Und weint bitterlich, und niemand kann helfen oder trösten. Sie findet keinen Trost."

10 Ohne ein Wort zu sagen,[3] läuft mein Vater in den Garten und findet mich im Grase sitzen und immer noch bitterlich weinen.

Mein Vater nimmt mich in seine Arme und versucht,[4] mich zu trösten und mir zu helfen.
15 Ich aber weine still weiter und weiß nicht warum.

„Was fehlt[5] dir, mein liebes Kind? Warum weinst du so bitterlich?"

„Ich weiß nicht," antworte ich und versuche, mich zu trösten.

20 „Aber was fehlt dir denn, mein liebes Kind?"

„Ich weiß nicht," antworte ich.

„Aber ich will und muß wissen, was dir fehlt."

„Ich weiß nicht," antworte[6] ich wieder auf[6] seine Frage.

---

[1] der Wille, will; um Gottes willen, for heaven's sake.
[2] ganz, whole, entire; quite.   [3] ohne ein Wort zu sagen, without saying a word.   [4] versuchen, try, attempt.   [5] fehlen, miss, be absent; was fehlt dir? what is the matter with you?   [6] antworten (auf + acc.), answer (to).

„Bist du immer allein im Garten gewesen ?"[1]
Auf diese Frage antworte ich nicht.
„Hat dir jemand[2] etwas Böses getan ?"[3]
„Nein, niemand."

„Aber jemand muß dir etwas getan haben. 5
Warum weinst du ? Um Gottes willen, was soll
ich anfangen, meine Tochter ?"

„Ich weiß nicht, was mir fehlt, und ich weiß
nicht, was du tun sollst, mein Vater. Niemand
hat mir etwas Böses getan. Ich muß nur 10
weinen und weiß nicht warum. Geh, lieber
Vater, laß[4] mich allein, bald wird es besser."

Vater führt mich ins Schloß und läßt mich
ganz allein in meinem Zimmer.[5]

Nun bin ich allein in meinem schönen Zim- 15
mer im Schlosse.

Denke ich an jemand ? — Ja, ich denke an
den armen Pechvogel. Ich sehe den armen
Menschen hinter den Büschen im Grase liegen.
Ich sehe ihn vor mir im Grase knien und höre 20
seine Worte und sehe sein trauriges Gesicht.

Aber ich weiß wirklich nicht, warum ich weine.

Mein guter Vater ! Wie lieb er ist. Er kauft
viele schöne Geschenke[6] für mich, seine arme
Tochter. Er schenkt[6] mir alles. 25

---

[1] **bist du gewesen,** have you been. [2] **jemand,** somebody,
someone, anybody. [3] **getan** (*p.p. of* **tun**) done. [4] **lassen,**
let, allow, permit. [5] **das Zimmer,** room. [6] **das Geschenk,**
gift, present; **schenken,** make a present of, give.

23

Er kauft schöne junge Rehe und herrliche Pferde. Er kauft wunderschöne Hüte mit Federn, goldene Ringe, Kleider[1] aus Samt und Seide und noch viele andere schöne Geschenke.
5 Aber was soll ich mit all den schönen Geschenken anfangen?

Ach, ich bleibe traurig und weiß nicht warum. Mein Vater kommt in mein Zimmer. Er bittet mich immer[2] wieder[2] und sagt:
10 „Ich bitte dich, liebes Kind, sage mir, was dir fehlt, und ich werde trösten und helfen. Du bist mein einziges[3] Kind, meine einzige Tochter. Fürchte dich nicht vor mir. Komm her, setze dich zu mir. Vielleicht kannst du
15 mir nun sagen, was dir fehlt.“

Mein Vater bittet mich immer wieder, und endlich sage ich:

„Nicht böse sein,[4] lieber, guter Vater, und ich will dir alles erzählen.“ Und so fange ich
20 an zu erzählen:

VIII

„Ich sitze ganz allein im Garten. Meine Freunde und Freundinnen sind fort. Ich blase auf meine Krone and putze sie.

---

[1] das **Kleid,** dress, gown; *pl.* die **Kleider,** clothes.   [2] **immer wieder** = wieder und wieder.   [3] **einzig,** only, sole, unique.   [4] **nicht böse sein,** don't be angry.

Da kommt auf einmal ein junger Mensch.
Er sieht sehr traurig aus, so traurig, ich kann
es dir gar nicht[1] sagen, mein Vater. Da denke
ich auf einmal an unsere gute Fee. Du weißt,
Vater, sie hat mich eines Tages auf die Stirn 5
geküßt und gesagt: ,Immer sollst du fröhlich
sein. Immer sollst du die Menschen glücklich
machen, denn dein Name ist Glückskind.
Traurige Menschen sehen dich an und vergessen
ihr Unglück sogleich.' 10

Nun sehe ich den armen Menschen und denke
an die Worte der guten Fee.

,Der arme, traurige Mensch soll fröhlich
werden,' denke ich bei mir. ,Vielleicht wird er
sogleich ganz glücklich, wenn ich ihn auf die 15
Stirn küsse.' Und so habe ich ihn geküßt,
guter Vater."

„Was," ruft mein Vater laut, „du hast ihn
wirklich geküßt?"

„Ja," antworte ich leise,[2] ganz leise. 20

„Einen ganz fremden[3] Menschen hast du
wirklich geküßt?"

„Ja," antworte ich wieder ganz leise.

„Das ist bitter, das ist hart, das ist zu
viel!" 25

Mit diesen Worten steht mein Vater auf. Er

---

[1] **gar nicht,** not at all.   [2] **leise,** low, soft(ly), gentle,
gently.   [3] **fremd,** strange.

geht zum Fenster[1] und sieht hinaus, ohne ein
Wort zu sagen. Nach einer Weile kommt er
zurück und redet[2] weiter:

„Gewiß[3] war er ein fremder, ganz gewöhn-
5 licher[4] Mensch, und du hast ihn geküßt!"

Wieder geht er zum Fenster und sieht hinaus.
Nach einer Weile sagt er:

„Ich habe nur eine Tochter, und meine einzige Tochter küßt einen fremden, gewöhnlichen
10 Menschen. Das ist ganz gewiß zu viel!"

„Er war so traurig, ich kann es dir gar nicht
sagen."

„Wahrscheinlich[5] war er ein Mensch mit
schlechten Kleidern und ohne Hut, mit viel
15 Hunger und wenig Brot."

Ich weiß nicht, was ich sagen soll, und sage
wieder ganz leise:

„Er war so traurig!"

„Und aus diesem Grunde[6] küßt du einen frem-
20 den Menschen. Das ist ein guter Grund, ein
schöner Grund, ein wunderschöner Grund! —
Wie heißt er denn? — Wahrscheinlich Fettfleck oder Entensuppe?"

„Pechvogel heißt er," antworte ich.

---

[1] **das Fenster,** window. [2] **reden,** talk, speak. [3] **gewiß,**
certain(ly), sure(ly). [4] **gewöhnlich,** ordinary, usual; common, vulgar. [5] **wahrscheinlich,** probable, probably. [6] **der
Grund,** ground, reason; **aus diesem Grunde,** for this reason.

„Pechvogel? Welch ein Name! Solch[1] ein
häßlicher Name ist in unserem Lande verboten.
Um Gottes willen! Ein Mann heißt Pechvogel
und läßt sich küssen, läßt sich von meiner
einzigen Tochter auf die Stirn küssen. Aber 5
diesen Menschen werde ich suchen und finden.
Und wenn ich ihn finde, mache ich ihn um einen
Kopf kürzer.[2] Eine sehr milde Strafe[3] für solch
einen Menschen."

Mit diesen Worten geht mein Vater aus dem 10
Zimmer. Dann befiehlt[4] er seinen Reitern, meinen armen Pechvogel zu suchen. Er sagt:

„Reiter, hört meinen Befehl![4] Reitet durch
alle Straßen[5] der Städte und auf allen Wegen
des Landes. Reitet durch alle Städte und 15
Dörfer. Sucht einen Menschen mit dem schönen Namen Pechvogel. Wahrscheinlich hat er
wenig Brot und viel Hunger.[6] Wahrscheinlich sieht er schlecht, traurig und hungrig[6] aus.
Vielleicht hat er keinen Hut und schlechte 20
Kleider. Wenn ihr ihn findet, dann bringt ihn
sogleich zu mir."

---

[1] solch, such. [2] kurz, short; ich mache ihn um einen
Kopf kürzer, I will make him shorter by one head, decapitate
or behead him. [3] die Strafe, punishment, penalty. [4] befehlen, command, order; noun: der Befehl. [5] die Straße
street. [6] Hunger haben = hungrig sein, be hungry.

27

IX

Unser armes Glückskind lassen wir nun allein im Schloß. Der glückliche Pechvogel reitet froh in die weite Welt hinaus.

Der König befiehlt; die Reiter hören den
5 Befehl des Königs und reiten wie der Wind. Sie reiten durch alle Straßen der Städte und auf allen Wegen des ganzen Landes. Sie reiten durch alle Städte und Dörfer, über alle Flüsse und Ströme.

10 Sie kennen[1] den Befehl des Königs, und sie kennen das Unglück der armen Prinzessin. Sie wissen, der König ist streng[2] und ernst.[3] Und sie wissen, der König ist böse. Er verlangt ernste und strenge Strafe für Pechvogel. Er
15 hat gesagt: „Seine Strafe ist milde. Morgen[4] mache ich ihn um einen Kopf kürzer."

„Befehl ist Befehl," denken die Reiter. „Wir müssen und werden ihn suchen und finden."

20 So reiten sie noch einmal[5] durch alle Straßen der Städte und Dörfer und über alle Brücken des Landes, aber den Pechvogel erkennen[1] sie nicht. — Und warum erkennen sie ihn nicht? —

---

[1] **kennen,** know, be acquainted with; **erkennen,** recognize.
[2] **streng,** severe, stern; strict.   [3] **ernst,** serious, earnest.
[4] **morgen,** tomorrow.   [5] **noch einmal,** once more.

Was hat der König gesagt? — Des Königs
Worte waren:

„Wahrscheinlich hat er wenig Brot und viel
Hunger. Wahrscheinlich sieht er schlecht, trau-
rig und hungrig aus. Vielleicht hat er keinen 5
Hut und schlechte Kleider."

Aus diesem Grunde erkennen sie ihn nicht,
noch nicht.[1] Sie erkennen ihn noch nicht, denn,
wie wir wissen, reitet Pechvogel ein herrliches
weißes Pferd. Er sieht nicht mehr traurig 10
aus und auch gar nicht streng wie der König.
Glücklich und fröhlich sieht er aus!

Stolz[2] sitzt er auf seinem weißen Pferde.
Stolz trägt[3] er einen feinen Rock aus Samt und
Seide und einen Hut mit schönen weißen und 15
roten Federn.

Nein, so erkennen ihn die Reiter ganz gewiß
nicht. Viele der Reiter reiten weiter, aber
viele reiten zurück in des Königs Schloß und
sagen: 20

„Herr König, er ist gewiß nicht mehr im
Lande, denn wir finden ihn nicht."

Aber da wird der ernste, strenge König noch
einmal sehr böse. Er nennt[4] sie wer weiß was.
Er nennt sie dumme Esel,[5] schlechte Esel mit 25
langen Ohren[6]; er nennt sie ganz gewöhnliche,

---

[1] **noch nicht,** not yet.　　[2] **stolz,** proud(ly).　　[3] **tragen,**
wear, carry.　　[4] **nennen,** name, call.　　[5] **der Esel,** ass,
donkey.　　[6] **das Ohr,** ear.

langsame Esel, und er gibt ihnen noch viele andere, wunderschöne Namen.

Die Reiter laufen schnell aus dem Schlosse, denn sie fürchten sich vor dem strengen König.

5 Die Prinzessin aber sitzt immer noch ganz allein in ihrem Schloßzimmer, ist sehr traurig und weint viel. Jeden Tag tritt sie mit traurigen Augen ins Zimmer und sitzt bei Tisch,[1] ohne ein einziges Wort zu sagen.

10 Auch der ernste, strenge König ist nun ein ganz anderer Mensch. Auch er ist unglücklich, denn er erkennt seine liebe Tochter nicht mehr. Bei Tisch sieht er sie immer wieder an. Die Suppe und das Fleisch[2] stehen auf dem Tisch 15 und werden kalt. Der alte Diener[3] — er dient[3] dem Könige schon[4] viele Jahre — kommt und sagt:

„Herr König, die Suppe wird kalt, das Fleisch wird kalt. Die gute Suppe! Das wun- 20 derschöne Fleisch!"

„Ich weiß," sagt der König, und der Diener geht still hinaus.

Eines Tages sitzen der König und die Prinzessin wieder bei Tisch. Da hört man auf einmal 25 vor dem Schlosse laute Stimmen.[5] Der König

---

[1] der Tisch, table; bei Tisch, at (breakfast, dinner, *or* supper) table. [2] das Fleisch, meat; flesh. [3] der Diener, servant; dienen, serve. [4] schon, already. [5] die Stimme, voice.

30

steht auf und geht ans Fenster. Schon hört man die Stimmen vor des Königs Zimmer. In diesem Augenblick[1] öffnet man die Tür[2] und bringt den armen Pechvogel vor den König.

X

Stolz tritt Pechvogel ins Zimmer, und stolz steht er vor seinem König. Er verneigt sich (*bows*). Dann tritt er zurück. An der Tür bleibt er stehen und redet kein Wort. Keinen Augenblick ist er traurig. Ernst und still steht er da, aber in seinem jungen Herzen und seinen braunen Augen wohnt das Glück.

Die Prinzessin ist schnell in ihr Zimmer gelaufen.[3]

Der König wirft einen Blick auf Pechvogel und wendet sich dann zu dem ältesten der Reiter. Er fragt:

„Ist er das?"

„Ja, hoher Herr, das ist er."

„Seit[4] wann[5] habt ihr ihn?"

„Schon seit heute[6] morgen.[6]"

„Wo war er?"

„Früh[7] heute morgen war er in einem kleinen Wirtshaus."

[1] **das Auge** + **der Blick**, glance = **der Augenblick**, moment, instant. [2] **die Tür**, door. [3] **gelaufen** (*p.p. of* **laufen**) run. [4] **seit**, since. [5] **wann**, (*interrog.*) when. [6] **heute**, today; **heute morgen**, this morning. [7] **früh**, early.

31

„Und dann? — Erzähle, Mensch, erzähle!"

„Nun, hoher Herr, das war so: schon früh heute morgen reiten wir aus einem kleinen Dorfe und kommen über eine Brücke. Wir hören 5 eine laute Stimme. Die Stimme kommt aus einem Wirtshaus und singt ein fröhliches Lied. In diesem Augenblick denke ich mir: ‚Ach, das kann er nicht sein.' Wir gehen aber doch[1] in das Wirtshaus und finden da einen jungen 10 Mann. Er sitzt an einem Tisch in der Mitte des Zimmers, trinkt und singt. In einer Ecke sitzt der dicke Wirt. Der junge Mann sieht uns und sagt zu dem dicken Wirt:

‚Bring Wein, viel Wein für meine Freunde.' 15 Dann sagt er zu uns: ‚Kommt her, setzt euch doch,[1] trinkt und singt!'

Wir erkennen ihn zunächst noch nicht. Dann aber fängt er an zu erzählen, und er erzählt uns alles.

20 Da nehmen wir ihn mit. Und ist er traurig, wie wir ihn auf sein Pferd binden? — Nein, hoher Herr, gar nicht. Seit früh heute morgen lacht und singt er, und immer reiten wir viel zu langsam für ihn. Nie reiten wir schnell genug.[2] 25 ‚Was,' sagt er, ‚ihr seid des Königs Reiter? Esel seid ihr! Dumme, langsame, ganz gewöhn-

---

[1] **doch,** yet, however; nevertheless; but; do; **setzt euch doch,** do sit down. [2] **genug,** enough.

32

liche Esel mit meterlangen[1] Ohren ! Unser König hat einen Wunsch.[2] Er wünscht,[2] mit mir
zu reden. Schon seit vielen Tagen wünscht er
das, und ihr Esel könnt euren König nicht
lange genug warten[3] lassen. Der König wartet 5
auf[3] mich ! Reitet schneller, schneller, schneller !'

Ich diene dir seit vielen Jahren, hoher Herr,
aber solche Worte sind bitter und hart für
einen alten Reiter wie mich.   Wenn dieser 10
Mensch traurig ist, wie sieht dann ein fröhlicher
Mensch aus ?   Ein fröhlicher Mensch legt
wahrscheinlich seine Beine[4] um[5] den Kopf und
tanzt auf den Händen, wie ein Schlangenmensch
(contortionist) im Zirkus (circus)." 15

,,Das werden wir noch sehen," sagt der König,
,,die Beine wollen wir ihm lassen, doch tanzen
soll er nicht mehr."

Dann tritt der König vor den armen Pechvogel und sagt mit strenger Stimme: 20

,,Du also bist Pechvogel, und meine einzige
Tochter hat dich also wirklich geküßt ?"

,,Ja, hoher König," antwortet Pechvogel;
,,nicht nur das; ich bin, seit sie mich geküßt

[1] der **Meter**, meter; **meterlang,** a meter long.   [2] **der
Wunsch,** wish; *verb:* **wünschen.**   [3] **warten,** wait; **warten
lassen** let *or* allow to wait; **warten (auf** + *acc.*) wait (for); **der
König wartet auf mich,** the king is waiting for me.   [4] **das
Bein,** leg.   [5] **um,** around.

hat, der glücklichste Mensch auf Gottes weiter
Welt."

"Und kennst du deine Strafe schon?"

"Nein, meine Strafe kenne ich noch nicht,
5 Herr König."

Der König wendet sich zu dem ältesten der
Reiter und sagt streng:

"Werft ihn in den Turm,[1] in den höchsten
Turm. Morgen früh machen wir ihn um einen
10 Kopf kürzer."

Also werfen die Reiter den armen Pechvogel
in den höchsten Turm.

Die Prinzessin ist in ihrem Zimmer. Sie
sieht aus dem Fenster und denkt gerade[2] an die
15 bösen Tage der letzten[3] Wochen.[4] Diese letzten
Tage und Wochen waren wirklich die traurig-
sten ihres kurzen Lebens.

Der König geht in seinem Zimmer auf und
ab,[5] immer wieder auf und ab.

20 "Das ist eine böse Sache,"[6] denkt er gerade,
"eine sehr böse Sache. Nun habe ich ihn, morgen früh machen wir ihn um einen Kopf kürzer,
aber mein armes Kind wird damit gar nicht
glücklicher. Um Gottes willen, was soll ich
25 anfangen?"

---

[1] **der Turm,** tower.   [2] **gerade,** just then.   [3] **letzt,** last.
[4] **die Woche,** week.   [5] **auf und ab,** up and down, back
and forth.   [6] **die Sache,** thing, affair.

34

Dann geht er ganz leise aus seinem Zimmer und kommt zu dem Zimmer seiner Tochter. An ihrer Tür bleibt er stehen und legt das Ohr an die Tür. — Hört er etwas? — Er hört, wie sein einziges Kind leise, ganz leise weint. 5

Er geht in sein Zimmer zurück, und wieder geht er auf und ab und immer wieder auf und ab.

Auf einmal ruft er seinen Diener. Der Diener kommt, der König befiehlt: 10

„Rufe den hohen Rat.[1] Der hohe Rat soll sogleich in mein Zimmer kommen. Sogleich! Lauf!"

XI

In dem hohen Rat sind die ältesten und weisesten Männer des Landes. Der hohe Rat 15 kommt, und der König beginnt zu erzählen. Die weisen Männer hören noch einmal von dem Unglück der armen Prinzessin und dem Glück Pechvogels. Dann fangen sie an zu reden. Sie reden eine Stunde,[2] sie reden zwei Stunden 20 und länger. Nach drei Stunden sagt endlich der weiseste und älteste der Männer:

„Großer König, dies ist eine böse Sache, eine sehr böse Sache. Wir raten[1] dir, einen Versuch[3] zu machen." 25

[1] **der Rat,** council; **raten,** advise.   [2] **die Stunde,** hour.
[3] **der Versuch** (*cf.* **versuchen**), experiment, trial, attempt.

„Zu welchem Versuch ratet ihr?"

Der älteste der Männer sagt:

„Pechvogel war bis[1] vor wenigen Wochen immer traurig und ist jetzt[2] fröhlich. Soviel
5 ist gewiß."

„So ist es," sagt der König.

„Die Prinzessin war bis vor wenigen Wochen immer fröhlich und ist jetzt sehr traurig. Soviel ist auch gewiß."

10 „So ist es," sagt der König wieder.

„Nun hat die Prinzessin den Pechvogel geküßt. Aus diesem Grunde muß Pechvogel der Prinzessin den Kuß zurückgeben. Wenn er ihr den Kuß zurückgibt, wird die Prinzessin wieder
15 ganz glücklich."

„Was," ruft der König mit lauter Stimme und steht auf einmal auf. „Den Kuß zurückgeben? Das ist nicht möglich,[3] das ist ganz unmöglich!"[3]

20 Dann geht der König vor dem hohen Rate auf und ab, immer wieder auf und ab.

„Zu diesem Versuch raten wir, hoher Herr," sagt der älteste der weisen Männer. „Alles ist möglich, nichts ist unmöglich. Wenn man
25 noch heute der Prinzessin den Kuß zurückgibt,

---

[1] **bis,** to, up to, until; **bis vor wenigen Wochen,** up to a few weeks ago. [2] **jetzt,** now, at present. [3] **möglich,** possible; **unmöglich,** impossible.

36

dann wird sie sehr wahrscheinlich morgen früh[1] wieder ganz glücklich. Wenn sie morgen früh wieder ganz glücklich wird, freuen sich alle Menschen. Wenn alle Menschen sich freuen, dann ist das ganze Land glücklich!" 5
So sagen die weisen Männer des Landes. Der König denkt an sein armes Kind, wartet einen Augenblick und sagt dann kurz:

„Gut, ich will den Versuch machen."

Dann ruft er seinen Diener und sagt: 10
„Laß alle hohen Herren und Damen[2] des Reiches[3] rufen. Sie sollen so schnell wie möglich in das Zimmer kommen, wo mein Thron steht. Dann laufe schnell zum ältesten Reiter im Turm. Er soll Pechvogel bringen. Laufe!" 15

Der König legt[4] seine besten Kleider an.[4] Die hohen Herren und Damen des Reiches legen ihre besten Kleider an. Und endlich legt auch die arme Prinzessin ihre wunderschönen, seidenen Kleider an. Die Herren und Damen des 20 Reiches sind jetzt alle im Thronzimmer.

Nun kommt der König. An seiner Seite geht das Glückskind. Der König setzt sich auf den Thron. Die Prinzessin steht an seiner Seite. Pechvogel ist auch da. Alles ist still. Da sagt 25 der König:

---

[1] **morgen früh,** tomorrow morning.   [2] **die Dame,** lady.
[3] **das Reich,** nation.   [4] **anlegen,** put on.

„Hört, was ich sage! Dieser Mann heißt Pechvogel. Die Prinzessin hat ihn geküßt. Bis vor wenigen Wochen war er traurig. Jetzt ist er fröhlich. Meine arme Tochter war bis 5 vor wenigen Wochen fröhlich und ist jetzt traurig. Aus diesem Grunde wird dieser Mann ihr den Kuß sogleich zurückgeben."

Dann wendet er sich zu Pechvogel und sagt:

„Tritt vor den Thron und gib meiner Tochter 10 den Kuß zurück."

Ist Pechvogel traurig? Nein, gar nicht! In seinem jungen Herzen und seinen braunen Augen wohnt das Glück. Er steht vor dem Thron des Königs und antwortet stolz: „Du 15 befiehlst, hoher Herr. Ich bin dein Diener. Dein Wunsch ist für mich Befehl!"

Nach diesen Worten gibt der glückliche Pechvogel dem Glückskind den Kuß zurück. Sie nimmt seine Hand, sieht ihn aus ihren wunder- 20 schönen blauen Augen glücklich an und bleibt vor dem Thron stehen.

„Bist du nun wieder glücklich, meine liebe, kleine Tochter?" fragt der König.

„Ein wenig," antwortet die Prinzessin und 25 sieht Pechvogel noch immer an; „aber ich fürchte, es dauert[1] nicht lange.[2] Es dauert

---

[1] **dauern,** last, continue.   [2] **lange,** long, for a long time.

nur einen Augenblick, dann muß ich wieder weinen, das fühle ich schon."

„Ach," sagt der König, „seht ihn an. Immer noch steht er da und wird nicht wieder traurig. Er steht da mit dem glücklichsten Gesicht der Welt. Ich sehe schon, es hilft alles nichts." 5

„Warte ein wenig, hoher Herr," sagt der älteste der weisen Männer. „Sein Glück wird nicht lange dauern. Bald wird er wieder traurig sein." 10

„Nein, euer Rat war schlecht, ihr weisen Männer! Was soll ich armer Mann nun anfangen?"

Da tritt die Prinzessin zu ihrem Vater, 15 schlägt ihre Augen nieder und sagt:

„Ich habe einen Wunsch, guter Vater. Ich will dir etwas sagen, aber nur dir allein und nur ganz leise ins Ohr."

Das Glückskind tritt nun mit ihrem Vater 20 in ein anderes Zimmer und sagt[1] dem König ganz leise etwas ins Ohr.[1] Dann tritt sie mit ihrem Vater wieder in das Thronzimmer.

Alles ist still. Stolz steht der König vor dem Thron. Die großen Herren und Damen 25 des Reiches und die weisen Männer warten.

[1] **sie sagt dem König ganz leise etwas ins Ohr,** she whispers something into the king's ear.

Auch der König wartet ein wenig und sagt dann
ernst und streng:

„Hier stehe ich, euer König. Was ich sage,
ist Gottes Wille. Es muß und wird so sein:
5 Dies ist mein lieber Sohn, und dies ist meine
liebe Tochter. Mein Sohn wird König, wenn
ich sterbe.[1] Wenn ich sterbe, wird meine
Tochter Königin."[2]

Aber es dauert lange, lange, bis der König
10 stirbt. Endlich, nach vielen Jahren stirbt er.
Und wirklich wird Pechvogel Prinz und
König. Er gibt seiner schönen Königin so
viele Küsse, wie er wünscht, und die Königin
macht ihrem Pechvogel viele wunderschöne
15 Geschenke. Für den häßlichen Namen Pechvogel gibt sie ihm viele schöne Namen, jeden
Tag einen anderen, noch schöneren. Sie leben
glücklich und lange.

Die Königin lacht immer noch gern. Oft bei
20 Tisch sagt sie zu ihm:

„Kennst du noch deinen alten, häßlichen
Namen? Er war wirklich zum Lachen."

Er aber lacht, küßt sie und sagt:

„Still, meine liebe, schöne Königin, wie
25 kann ich Respekt (*respect*) verlangen, wenn die
Menschen von dem alten Pechvogel hören?"

---

[1] **sterben,** die. [2] **die Königin,** queen.

LIST OF IDIOMS IN ORDER OF OCCURRENCE

(Numbers refer to pages)

41

Das tapfere Schneiderlein

AND

Schneewittchen

RETOLD AND EDITED AFTER THE GERMAN OF
JAKOB AND WILHELM GRIMM

BY

PETER HAGBOLDT
The University of Chicago

Adding 230 words and 30 idioms to the 375 words
and 40 idioms used in Booklet I
Total, 605 words of high frequency
and 70 common idioms

BOOK TWO — ALTERNATE

D. C. HEATH AND COMPANY
BOSTON

„Ach du mein Gott, wie wunderschön ist das Kind!"

Das tapfere[1] Schneiderlein.[2]

I

An einem schönen, warmen Sommertag sitzt ein
Schneiderlein auf seinem Tisch am Fenster, ist glücklich und singt ein schönes, altes Lied. Das Lied
spricht[3] von einer Prinzessin und einem jungen
Mann. Dieser[4] ist arm, hat kein Glück, wird aber 5
endlich ein König, denn man gibt ihm die Prinzessin zur Frau.[5]

Das Schneiderlein ist der Schneider des Dorfes.
Er[6] arbeitet[7] schnell und gut. Und wie er so bei der
Arbeit[7] sitzt und singt, kommt eine Bauersfrau[8] die 10
Straße entlang. Unter dem Fenster des Schneiders
bleibt sie stehen und ruft mit lauter Stimme:

---

[1] tapfer, brave, valiant. [2] das Schneiderlein, little tailor.
The suffixes –chen and –lein are neuter diminutive suffixes,
which often express endearment, neatness, or tenderness.
[3] sprechen (spricht), speak. [4] dieser, *here:* the latter. [5] die Frau,
woman, wife, Mrs; zur Frau, as (a) wife; in marriage. [6] Nouns
in –chen and –lein, though neuter, are sometimes treated
according to their natural sex: das Schneiderlein, er; das
Mädchen, sie. [7] arbeiten, work, labor, toil; bei der Arbeit,
at work. [8] der Bauer, peasant, farmer + die Frau = die
Bauersfrau, farmer's wife.

Note that forms of verbs not in the present indicative are
explained in footnotes.

I.

„Marmelāde,* kauft Marmelāde! Frische Marmelāde!"

Der Schneider hört die Bauersfrau, macht ein fröhliches Gesicht und denkt bei sich:

5 „Ich bin hungrig wie ein Wolf. Frische Marmelade auf gutem Brot ist nicht schlecht."

Schnell läuft er ans Fenster, steckt den Kopf hinaus und ruft:

„Hier herein,[1] gute Frau; hier herein. Ich kaufe
10 gern ein wenig Marmelade, wenn sie gut und frisch ist. Hier wirst[2] du deine Ware[3] los."[2]

Die Bauersfrau ist froh, denn sie hofft,[4] ihre Ware loszuwerden. Sie geht in das kleine Haus und tritt in das Zimmer des Schneiders. Sie setzt
15 ein Glas Marmelade nach dem anderen auf den Tisch. Der Schneider sieht die Gläser an, hält[5] eins nach dem anderen unter die Nase und spricht endlich:

„Die Ware ist gut und frisch. Wiege[6] mir ein
20 wenig ab.[6] Ein Viertelpfund[7] ist mehr als[8] genug."

Die arme Frau hat gehofft,[4] ein gutes Geschäft[9] zu machen,[9] tut aber, was der Schneider verlangt.

---

[1] herein, in, inside. [2] loswerden, get rid of. [3] die Ware, merchandise, goods, wares. [4] hoffen, hope; gehofft, hoped. [5] halten (hält), hold. [6] wiegen, weigh; abwiegen, weigh off. [7] viertel, quarter + das Pfund, pound = das Viertelpfund, quarter of a pound. [8] als, *adv.* than; mehr als, more than. [9] das Geschäft, business; ein Geschäft machen, do business.

* A dash (–) over a vowel denotes accent as well as length.

Sie wiegt ihm ein Viertelpfund ab, füllt es in ein Glas und geht mit traurigem Gesicht fort.

„Nun, die Marmelade soll mir gut schmecken,"[1] ruft der Schneider glücklich. „Sie soll mir viel Kraft[2] für die Arbeit geben." 5

Dann nimmt er ein Brot, schneidet ein großes Stück ab und streicht Marmelade auf das Brot.

„Das wird gar nicht bitter schmecken," sagt er; „aber bevor ich esse,[3] will ich den Rock für den fremden Herrn fertigmachen. Geschäft ist Geschäft. 10 Der Herr wartet schon seit heute morgen."

Er legt das Brot neben[4] sich und arbeitet weiter. Indes[5] denkt er an die frische Marmelade und wie gut sie ihm schmecken wird.

An der Wand[6] des kleinen Zimmers sitzt eine 15 große Menge[7] von Fliegen.[8] Die Fliegen riechen[9] etwas Gutes und kommen in großen Mengen von der Wand und setzen sich auf die Marmelade.

„Ach, was wollt ihr denn hier?" spricht der Schneider. „Ihr riecht etwas Gutes und wollt 20 essen? Wartet einen Augenblick. Euer Hunger soll nicht alt werden. Ich will euch etwas geben."

Indes nimmt er ein Tuch[10] vom Tisch, und mit dem Tuch schlägt er mit aller Kraft auf das Stück

---

[1] schmecken, taste.   [2] die Kraft, force, power, strength.
[3] essen (ißt), eat.   [4] neben, beside, by the side of, next to.
[5] indes = indessen, meanwhile.   [6] die Wand, wall.   [7] die Menge, crowd, multitude; quantity.   [8] die Fliege, fly.
[9] riechen, smell, scent.   [10] das Tuch, cloth.

3

Brot. Nun nimmt er das Tuch fort und sieht, daß
nicht weniger als sieben (*seven*) Fliegen tot sind.

„Ach, bist du solch ein tapferer Mann?" denkt
er bei sich. „Das soll das ganze Dorf wissen. Das
5 ganze Dorf? Nein, das ganze Land!"

II

Nun geht es dem Schneider sehr gut. Stolz geht
er in seinem Zimmer auf und ab und denkt mit
ernstem Gesicht:

„Das ganze Land muß erfahren,[1] wer ich bin,
10 besser noch, die ganze Welt. Aber wie soll ich das
anfangen? Ach, ich weiß schon."

Schnell nimmt er ein schönes blaues Tuch, schnei=
det einen Gürtel[2] und stickt (*embroiders*) mit großen
Buchstaben[3] auf den Gürtel:

15   „Sieben auf einen Streich."[4]

Die Buchstaben auf dem Gürtel sind groß und mit
weißer Seide schön gestickt (*embroidered*).

„Sieben auf einen Streich," lacht der Schneider
glücklich; „die Welt soll es erfahren und wird nicht
20 verstehen, wie es möglich ist. Welch ein Held[5] ich
bin, welch ein großer Held! Die Welt soll bald et=
was von mir erfahren, morgen schon."

Von nun an ist der Schneider sehr glücklich, denn

---

[1] erfahren (erfährt), learn, come to know, find out. [2] der
Gürtel, girdle, belt. [3] der Buchstabe, letter, character. [4] der
Streich, stroke, blow; auf einen Streich, at one blow. [5] der
Held, hero.

4

er kennt keine Furcht und fürchtet sich vor nichts auf der ganzen Welt. Er bindet sich den Gürtel um den Leib[1] und will so schnell wie möglich in die weite Welt hinaus. Bei sich denkt er:

„Dieses kleine Arbeitszimmer ist nichts für einen großen Helden."

Indessen sucht er in allen Zimmern des Hauses, denn er will sehen, ob[2] nichts da ist, was er mitnehmen kann. Aber er findet nichts als[3] einen alten Käse.[4] Den Käse steckt er in die Tasche. Vor dem Tor des Dorfes sieht er in einem Busch einen Vogel. Auch den steckt er zu dem Käse in die Tasche. Nun wandert er tapfer des Weges. Der kleine Schneider ist leicht[5] und schnell. Aus diesem Grunde wird er nicht müde.[6]

Sein Weg führt ihn bald zu einem Berg. Er geht weiter und kommt endlich auf den höchsten Gipfel.[7] Auf dem höchsten Gipfel sieht er einen Riesen[8] im Grase sitzen. Ohne Furcht geht er zu dem Riesen und sagt:

„Guten Tag, mein Freund. Siehst du dir die schöne, weite Welt an? Ich bin gerade auf dem Wege in die Welt und will da mein Glück versuchen. Komm mit, denn du hast nichts zu tun; du hast viel Zeit."[9]

[1] der Leib, body; waist.   [2] ob, whether.   [3] nichts als, nothing but.   [4] der Käse, cheese.   [5] leicht, light; easy.
[6] müde, tired, weary.   [7] der Gipfel, summit, top.   [8] der Riese, giant.   [9] die Zeit, time.

5

Der Riese sieht das Schneiderlein von Kopf zu Fuß[1] an und spricht:

„Du kleiner Mann; du kleine Fliege! Warum sprichst du zu mir? Ich kenne dich nicht."

5 Das Schneiderlein macht[2] seinen Rock auf[2] und zeigt[3] dem Riesen den blauen Gürtel mit den großen weißen Buchstaben.

„Wenn du lesen[4] kannst, so lies,[4] welch ein Held ich bin," sagt es.

10 Der Riese liest: „Sieben auf einen Streich" und meint[5]: „Sieben Menschen auf einen Streich."

„Nicht schlecht," meint er, „aber das mußt du mir einmal zeigen und beweisen.[6] Ich nehme diesen Stein in die Hand, siehst du? Nun drücke[7] ich ihn 15 ganz leicht. Siehst du, wie das Wasser aus dem Stein läuft? Nun mußt auch du mir einen Beweis[6] deiner Kraft geben."

„Das ist leicht. Nichts ist leichter als das," sagt der Schneider und nimmt schnell den alten 20 Käse aus der Tasche. Der Käse ist warm und sehr weich.[8] Der Schneider drückt, und schon läuft Wasser aus dem weichen Käse.

„Was meinst du, war's gut?" fragt der Schneider.

---

[1] der Fuß, foot; von Kopf zu Fuß, from top to toe. [2] aufmachen, open. [3] zeigen, show. [4] lesen (liest), read; lies! read! [5] meinen, think; believe; mean. [6] beweisen, prove, demonstrate; der Beweis, proof, evidence. [7] drücken, press; squeeze. [8] weich, soft, mellow.

III

Der Riese weiß nicht, was er sagen soll, denn er will nicht glauben,[1] was er gesehen[2] hat. Er hebt[3] einen Stein auf[3] und wirft ihn mit aller Kraft so hoch in die Luft, daß[4] man ihn mit den Augen nicht mehr sieht.

"Nun, du kleine Fliege," spricht der Riese; "laß sehen, ob du auch werfen kannst."

"Du hast nicht schlecht geworfen,"[2] meint der Schneider, "aber dein Stein fällt wieder zur Erde.[5] Jetzt will ich einen so hoch werfen, daß er nicht wieder zur Erde zurückkommt."

Er nimmt den Vogel aus der Tasche und wirft ihn hoch in die Luft. Der Vogel, froh endlich frei[6] zu sein, fliegt schnell auf und kommt nicht wieder.

"Nun, wie gefällt[7] dir das?" fragt der Schneider.

"Es gefällt mir[7] sehr gut," meint der Riese. "Werfen kannst du. Aber nun sollst du zeigen und beweisen, daß du heben und tragen kannst."

Der Riese führt den kleinen Schneider zu einem großen Baum, einer alten Eiche.[8] Die Eiche liegt auf der Erde; sie ist dick und sehr schwer.[9]

---

[1] glauben, believe, think, suppose. [2] gesehen, seen; geworfen, thrown. [3] heben, lift; aufheben, lift up. [4] daß, *conj.* that. [5] die Erde, earth; soil; ground; zur Erde, to earth, to the ground. [6] frei, free. [7] gefallen (gefällt), please; es gefällt mir, I like it. [8] die Eiche, oak. [9] schwer, heavy; difficult; das Schwerste, heaviest.

7

„Jetzt mußt du mir helfen, diese schwere Eiche
aus dem Walde zu tragen," spricht der Riese; „ich
glaube nicht, daß du stark[1] genug bist."

„Stark genug? Nichts ist leichter als das," ant=
5 wortet das Schneiderlein. „Nimm du nur den
Stamm[2] auf deine Schulter,[3] ich will die Blätter[4]
und Zweige tragen, denn die Blätter und Zweige
sind doch das Schwerste."[5]

Der Riese hebt nun den schweren Stamm auf.
10 Er hebt ihn auf seine starke Schulter, und das
Schneiderlein setzt sich auf einen Zweig. Der Riese
kann nicht hinter sich sehen und glaubt, daß der
Schneider ihm hilft. Dieser aber tut nichts und
singt ein fröhliches Lied.

15 Der Riese trägt die schwere Eiche ein Stück des
Weges und wird langsam müde. Endlich ruft er:

„Höre, ich habe genug. Ich muß den Baum fallen
lassen."[6]

Der Schneider hört die Worte des Riesen und
20 springt schnell und leicht auf die Füße. Dann nimmt
er den Baum in seine Arme, und der Riese glaubt,
daß der Schneider wirklich geholfen[7] hat.

Das Schneiderlein aber spricht:

„Was, du bist ein großer, starker Mann; dein Leib
25 wiegt mehr als zweitausend Pfund, und du kannst

---

[1] stark, strong. [2] der Stamm, stem, trunk. [3] die Schulter,
shoulder. [4] das Blatt, leaf. [5] See note 9, page 7. [6] fallen
lassen, let fall, drop. [7] geholfen, helped.

nicht einmal[1] dieses Bäumlein tragen? Ich kann es
nicht glauben, denn diese kleine Eiche wiegt nicht
einmal so viel wie du."

Der Riese antwortet nicht, und ohne ein Wort zu
sagen, gehen sie zusammen[2] weiter. Bald kommen 5
sie an einen Apfelbaum.[3] Da sehen sie die schönsten
Äpfel. Der Riese biegt[4] den Stamm des Baumes
und biegt ihn so, daß die Krone nicht weit von der
Erde ist.

„Hier, kleine Maus," sagt der Riese; „Halte[5] die 10
Krone fest,[5] dann nimm und iß so viel, wie du
willst."

Der Schneider hält die Krone fest, aber der Riese
läßt[6] sie los,[6] und im nächsten[7] Augenblick hängt das
Schneiderlein hoch in der Luft. Dann fällt es zur 15
Erde.

„Du bist nicht einmal stark genug, dieses Zweig=
lein festzuhalten?" spricht der Riese.

„Was redest du da?" sagt der Schneider böse.
Er macht den Rock auf und ruft: „Sieh her und lies 20
die weißen Buchstaben, wenn du lesen kannst; du
vergißt, wer ich bin. Mein Name ist ‚Sieben auf
einen Streich.‘ Du hast wahrscheinlich gar keinen
Namen. Ich bin nur über den Apfelbaum ge=

[1] nicht einmal, not even. [2] zusammen, together. [3] der
Apfel, apple + Baum = der Apfelbaum, apple tree. [4] biegen,
bend. [5] fest, firm, steady, fast; festhalten, hold fast. [6] los,
loose; loslassen, let loose, let go. [7] nah, näher, nächst, near,
close, near-by; nächst, next.

9

sprungen,[1] denn man schießt[2] nicht weit von hier.
Ein Wolf ist im Walde. Auf[2] den schießt man.
Spring auch einmal; ich will sehen, wie hoch du
springst."

5 Der Riese versucht nun, über einen Baum zu
springen, aber er ist viel zu schwer und zu langsam,
und im nächsten Augenblick bleibt er in dem Baum
hängen.[3]

IV

"Wenn du so stark und tapfer bist," sagt der Riese,
10 "so komm mit mir in meine Höhle[4] und bleibe bis
morgen bei mir."

"Sehr gern," antwortet der Schneider, "ich will
gern erfahren, wo ihr Riesen wohnt und wie ihr
lebt."

15 Sie wandern zusammen weiter und kommen am
Ende[5] in die Höhle des Riesen.

"Die Höhle ist groß," denkt das Schneiderlein,
"viel größer als mein kleines Arbeitszimmer zu
Hause."

20 Nun sieht der Schneider noch eine ganze Menge
von anderen Riesen, aber er ist tapfer und fürch=
tet sich nicht. Die Riesen sitzen alle um ein großes

---

[1] gesprungen, jumped, leaped. [2] schießen (auf + *acc.*)
shoot (at). [3] hängen bleiben, be caught; remain hanging
[4] die Höhle, cave. [5] das Ende, end; am Ende, finally.

Feuer und sehen still in die Flammen. Über den
Flammen des Feuers braten[1] sie ihr Abendessen.[2]
An diesem Abend essen sie Schafe,[3] junge, frisch
gebratene[1] Schafe. Einer der Riesen hält ein gebra=
tenes Schaf in beiden[4] Händen und ißt mit großem 5
Appetit. Er muß großen Hunger haben, denn er
ißt schnell, spricht kein Wort und zählt[5] schon die
anderen Schafe über dem Feuer. Wahrscheinlich
will er sie alle essen.

Nach dem Abendessen kommt einer der Riesen, 10
der Freund des Schneiders, und sagt:

„Komm mit, du kleine Maus; es ist hohe Zeit
zum Schlafen.[6] Ich will dir dein Bett zeigen."

Dann führt er den Schneider fort, und die beiden[4]
kommen zu vielen langen Betten. Der Schneider 15
zählt sie; er zählt nicht weniger als sieben.

„Hier wirst du schnell einschlafen[6] und kannst gut
ausschlafen,"[6] spricht der Riese. „Leg dich aufs
Ohr. Schlafe[6] gut. Gute Nacht."[7]

„Schlafe auch du gut und träume schön," ant= 20
wortet der Schneider. „Ich wünsche dir eine gute
Nacht."

Das tapfere Schneiderlein legt sich ins Bett.

„Um Gottes willen," denkt es bei sich, „dies ist

---

[1] braten (brät), roast, fry, broil; gebraten, roasted. [2] der
Abend, evening + das Essen, meal = das Abendessen, supper.
[3] das Schaf, sheep. [4] beide, both; die beiden, the two.
[5] zählen, count. [6] schlafen (schläft), sleep; zum Schlafen, for
sleeping; einschlafen, fall asleep; ausschlafen, sleep one's fill *or*
enough. [7] die Nacht, night.

II

kein Bett; es ist ein ganzes Land. Das Bett ist
zu groß für mich, und am Ende kann man nicht
wissen, was die dummen Riesen tun werden. Sie
haben alles in den Armen und nichts im Kopf."

5 Nach kurzer Zeit kriecht[1] der Schneider aus dem
Bett, und kriecht auf den Knien in eine Ecke der
Höhle. Dort[2] legt er sich auf den Boden, legt den
Kopf auf einen Arm und schläft ein.

Bald kommt die Nacht, und der Riese glaubt, daß
10 der Schneider im Bett liegt, in tiefem[3] Schlaf. Er
steht leise auf, sucht eine schwere Stange (*bar*)
aus Eisen,[4] geht an das Bett des Schneiders und
schlägt mit der Eisenstange mit aller Kraft auf das
Bett des Schneiders. Das Bett bricht in zwei Stücke,
15 und der Riese glaubt natürlich,[5] daß der Schneider
tot ist. Am nächsten Morgen[6] erzählt der Riese den
anderen, daß der Schneider tot ist. Dann gehen sie
schon ganz früh in den Wald, und bald haben sie
den Schneider ganz vergessen.[7]

20 Da kommt dieser auf einmal ganz frei und froh
den Weg entlang. Die Riesen glauben natürlich,
einen Geist[8] zu sehen, und laufen so schnell, wie sie
können. Aber es ist gar kein Geist. Es ist nur das

---

[1] kriechen, creep, crawl. [2] dort, there. [3] tief, deep; in
tiefem Schlaf, sound asleep. [4] das Eisen, iron; aus Eisen,
made of iron. [5] natürlich, natural(ly), of course. [6] der Morgen, morning; am Morgen, in the morning; am nächsten
Morgen, (the) next morning. [7] vergessen (vergißt), forget;
here p.p.: forgotten. [8] der Geist, ghost, spirit.

12

tapfere Schneiderlein mit dem schönen Namen
„Sieben auf einen Streich."

V

Der Schneider geht immer weiter in die schöne
Welt hinaus. Nach langer Zeit kommt er eines
Morgens[1] an den Hof[2] eines Königs. Dort sieht er [5]
des Königs Schloß ganz nah unter alten herrlichen
Bäumen liegen. Von dem langen Wege müde, legt
er sich ins Gras, und bald liegt er in tiefem Schlaf.

Da kommen die Leute[3] von des Königs Hof
herbei,[4] bleiben stehen und sehen den Schneider von [10]
Kopf zu Fuß an. Sie sehen auch die großen weißen
Buchstaben auf dem Gürtel und lesen die Worte:
„Sieben auf einen Streich."

„Ach," sagen sie, „wir haben keinen Krieg.[5] Was
will denn dieser große Kriegsheld bei uns in un= [15]
serem friedlichen[6] Lande? Wir wollen Frieden,[6]
keinen Krieg. Aber ein großer Herr muß er sein."

Die Hofleute[3] berichten[7] dem König, was sie
wissen, und sagen sehr ernst:

„Wenn Krieg in unser friedliches Land kommt, [20]
so ist dieser Held sehr wichtig[8] für das ganze Land
und auch sehr nötig.[9] Wir müssen den Mann im

[1] eines Morgens, one morning. [2] der Hof, court; yard.
[3] die Leute, people; die Hofleute, courtiers. [4] herbei, hither,
near, on. [5] der Krieg, war. [6] friedlich, peaceful; der Friede(n),
peace. [7] berichten, report; der Bericht, report. [8] wichtig,
important. [9] nötig, necessary.

13

Lande halten und dürfen[1] ihn nicht aus den Augen
lassen."

Der Rat der Hofleute gefällt dem König sehr gut.
Er schickt[2] sogleich einen von den Hofleuten zu dem
5 Schneider und sagt:

„Wenn der fremde Kriegsheld ausgeschlafen[3] hat,
so sag ihm, was wir von ihm denken und bitte ihn,
wenn nötig, für uns in den Krieg zu ziehen."[4]

Der Mann von des Königs Hof kommt zu dem
10 Schneiderlein. Das liegt immer noch im Grase, in
tiefem Schlaf. Der Mann wartet, bis jener aus=
geschlafen[3] hat, die Augen aufschlägt[5] und Arme
und Beine von sich streckt.[6] Dann sagt er:

„Der König dieses Landes schickt mich. Ich soll
15 berichten, was der hohe Rat des Königs wünscht.
Hier ist mein Bericht. Ein Mann wie du, ein großer
Herr und Kriegsheld, ist wichtig für unser Land
und wirklich sehr nötig. Wir wollen dich in diesem
Lande halten und dürfen dich nicht aus den Augen
20 lassen. Du bist ein großer Held, erfahren[7] in Krieg
und Frieden. Bist du bereit,[8] für uns in den Krieg
zu ziehen? Das ist des Königs Frage."

Der Schneider streckt Arme und Beine weit von
sich, springt dann schnell auf die Füße und antwortet:

---

[1] dürfen, may, be permitted to, must. [2] schicken, send.
[3] ausgeschlafen, slept enough. [4] in den Krieg ziehen, go to war.
[5] die Augen aufschlagen, open one's eyes. [6] strecken, stretch;
von sich strecken, stretch out. [7] erfahren, *here:* experienced.
[8] bereit, ready; prepared.

14

‗‧‡‧‗

„Gerade aus diesem Grunde und keinem anderen
bin ich in eurem Lande. Ich bin gern bereit, für
den König in den Krieg zu ziehen und, wenn nötig,
für ihn zu sterben. Das ist meine Antwort. Ich
bitte dich, dem König dieses zu berichten." 5

Es dauert nicht lange, da kommen die Männer
vom hohen Rate des Königs und sagen:

„Der König ist bereit, dich zu empfangen.[1] Komm
mit, wir wollen dir zeigen, wo du von nun an wohnen wirst." 10

VI

So empfängt[1] man den großen Kriegshelden
mit allen Ehren.[2] Er wohnt in einem herrlichen
Hause ganz nahe bei des Königs Schloß. Aber die
Offiziere des Königs haben den Schneider nicht
gern.[3] Sie sagen zueinander[4]: 15

„Was sollen wir nun anfangen? Wir wünschen
den fremden Kriegshelden tausend Meilen fort von
hier. Wenn wir mit ihm streiten,[5] und ein Streit[5]
wird gewiß kommen, so tötet er sieben von uns auf
einen Streich." 20

So sprechen sie miteinander, und einer fragt:

---

[1] empfangen (empfängt), receive; *also p.p.:* received.
[2] die Ehre, honor. [3] gern haben, like, be fond of. [4] einander,
one another; each other; zueinander, to one another. [5] streiten, quarrel, dispute; der Streit, quarrel, dispute.

„Wer von uns ist bereit, zu dem König zu gehen
und ihm zu sagen, daß wir ihm nicht länger dienen
können?"

Einer von den Offizieren ist bereit. Dieser
5 geht zum König und berichtet:

„Herr König, wir sind treue[1] Diener; das weißt
du so gut wie wir selbst,[2] aber wir können dir nicht
länger dienen. Wir haben den fremden Kriegs=
helden nicht gern. Wenn wir miteinander streiten,
10 und ein Streit ist nur eine Frage der Zeit, so tötet er
sieben von uns auf einen Streich. Wir wollen alle
zusammen in ein fremdes Land ziehen."

Der König ist traurig. Er will seine treuen
Diener nicht verlieren,[3] und er will den fremden
15 Helden natürlich so bald wie möglich loswerden. Er
fürchtet, daß er viele seiner treuen Soldaten[4] und
seiner besten Offiziere verlieren wird. Er fürchtet
sogar,[5] daß der fremde Kriegsheld eines Tages ihn,
den König, töten und sich dann selbst auf den Thron
20 setzen wird. Er denkt lange hin und her[6] und ist
bereit, alles für sein Land zu tun. Endlich findet er
guten Rat.

Er befiehlt einen seiner Offiziere zu sich und
spricht: „Geh schnell nach dem Hause des fremden
25 Helden und sage ihm, was du gewiß schon selbst

---

[1] treu, faithful, loyal. [2] selbst = selber, self. [3] verlieren,
lose. [4] der Soldat, soldier. [5] sogar, even. [6] hin und her,
there and back; forwards and backwards; back and forth;
to and fro.

weißt. In einem Walde unseres Landes wohnen zwei Riesen. Diese müssen wir loswerden. Niemand kann in den Wald gehen ohne Gefahr,[1] sein Leben zu verlieren. Wenn der fremde Held die Riesen tötet, so verspreche[2] ich, ihm meine einzige Tochter zur Frau zu geben und sogar das halbe[3] Königreich außerdem.[4] Hundert Soldaten und Offiziere sollen mit ihm ziehen und ihm helfen, wenn er in Gefahr ist."

Der Offizier kommt in das Haus des Schneiderleins und berichtet ihm den Wunsch seines Königs.

„Das ist etwas für einen Mann wie mich," denkt der Schneider bei sich. „Eine schöne Königstochter und sogar ein halbes Königreich außerdem ist nicht schlecht."

Dann fragt er mit lauter Stimme:

„Der König verspricht es? Es ist sein ernstes Versprechen,[2] aber wird er sein Versprechen halten?"[2]

„Das wird er gewiß," antwortet der Offizier. „Des Königs einzige Tochter zur Frau und sogar das halbe Königreich außerdem."

„Gut, angenehm,[5] sehr angenehm sogar," spricht der Schneider. „Aber geh zu deinem König und sage ihm, daß ich seine hundert Soldaten und Offiziere nicht einmal brauche.[6] Wer sieben auf

---

[1] die Gefahr, danger. [2] versprechen (verspricht), promise; *noun:* das Versprechen; ein Versprechen halten, keep a promise. [3] halb, half. [4] außerdem, besides. [5] angenehm, agreeable, pleasant. [6] brauchen, need, require, use.

einen Streich tötet, braucht sich vor zwei Riesen
nicht zu fürchten."

VII

Früh am nächsten Morgen zieht das Schneiderlein
ins Land hinaus, um¹ die Riesen zu¹ töten. Er
5 denkt nicht an Gefahr, denn er kennt keine Furcht.
Hundert Offiziere und Soldaten folgen² ihm, denn
der König will die Riesen loswerden und das Land
frei machen von der Gefahr der Riesen. Auch glaubt
er nicht, daß der Schneider ganz allein ohne Soldaten
10 und Offiziere die Riesen töten kann.

Wie der Schneider nun nahe am Walde ist, sagt er
zu den Offizieren:

„Folgt mir nicht; bleibt hier stehen; ich brauche
euch nicht. Ich kann mit den Riesen ganz allein
15 fertig werden."³

Dann springt er schnell in den Wald hinein,⁴
sieht nach rechts⁵ und nach links,⁵ läuft hin und
her, und im nächsten Augenblick sieht er die beiden
Riesen. Sie liegen unter einer alten Eiche, in tiefem
20 Schlaf. Der Schneider versucht nun, unter den
Büschen und Bäumen eine Menge von Steinen zu
sammeln.⁶ In kurzer Zeit sammelt er eine ganze
Menge, steckt sie in beide Rocktaschen und steigt⁷

---

¹ um ... zu, in order to. ² folgen, follow. ³ fertig werden,
manage, cope with. ⁴ hinein, in, into, inside. ⁵ nach rechts,
to the right; nach links, to the left. ⁶ sammeln, collect, gather.
⁷ steigen, climb.

auf einen Baum. In der Mitte des Baumes steigt
er nicht weiter. Er kriecht auf einen dicken Ast,[1]
kriecht auf dem Ast hin und her, nach rechts und
nach links, bis er gerade über den beiden Riesen
sitzt. 5

„Ein angenehmer Platz,“[2] denkt er; „einen
besseren Platz kann ich mir nicht wünschen. Nun
will ich mit meiner Arbeit anfangen.“

Er nimmt Steine aus der Tasche und läßt einen
nach dem anderen auf die Brust[3] des ersten (*first*) 10
Riesen fallen. Dieser fühlt lange nichts und bewegt
sich nicht einmal. Endlich wacht[4] er auf,[4] stößt[5]
seinen Freund in die Seite und ruft:

„Warum schlägst du mich auf die Brust? Hast du
nicht Platz genug?“ 15

„Du träumst,“ sagt der zweite (*second*), „ich
schlage dich nicht; ich schlafe.“

Sie legen sich auf die andere Seite, um weiter=
zuschlafen, da wirft der Schneider einen Stein auf
die Brust des zweiten Riesen. 20

„Was soll das heißen,“ ruft der zweite und gibt
dem ersten einen harten Stoß[5] in den Rücken.[6]

„Warum wirfst[7] du mich?“

„Ich werfe dich nicht, aber du stößt[5] mich immer
in den Rücken und weißt selbst nicht warum.“ 25

---

[1] der Ast, branch, bough. [2] der Platz, place. [3] die Brust,
chest, breast. [4] wachen, watch, be awake; aufwachen,
awake, wake up. [5] stoßen (stößt), push, thrust; *noun:* der
Stoß. [6] der Rücken, back. [7] werfen, *here:* hit.

So streiten die Riesen miteinander hin und her.
Aber bald sind sie von dem langen Streit müde, und
nach einer Weile liegen sie wieder in tiefem Schlaf.

Der Schneider findet sein Spiel[1] mit den Riesen
5 zum Lachen und sehr interessant, und nach einiger[2]
Zeit beginnt er sein altes Spiel. Er hat noch einige
Steine in der Tasche und wirft diese mit aller Macht[3]
auf die Brust des einen der beiden Riesen.

„Was fehlt dir?" ruft dieser so laut, daß der
10 Schneider glaubt, einen Donner[4] zu hören; „das
ist zu viel," donnert[4] er, springt auf die Füße und
stößt den anderen mit solcher Macht gegen[5] den
Stamm eines Baumes, daß beide, Baum und Riese,
zur Erde fallen. Der andere tut das Gleiche,[6] denn
15 beide sind gleich[6] böse. So geht der Streit hin und
her. Am Ende reißen[7] sie Bäume aus der Erde und
schlagen einander mit solcher Macht auf die Köpfe,
daß beide tot zur Erde fallen und Arme und Beine
weit von sich strecken.

VIII

20 Das tapfere Schneiderlein springt schnell vom
Baum herab[8] und denkt bei sich:

[1] das Spiel, play, game. [2] einige, some; nach einiger Zeit,
after some time. [3] die Macht, power, force, might. [4] der
Donner, thunder; *verb:* donnern. [5] gegen, against. [6] das
Gleiche, the same; gleich, like, *here:* equal(ly). [7] reißen, tear.
[8] herab, down, downwards.

„Es ist ein großes Glück für mich, daß sie meinen Baum nicht ausgerissen[1] haben. Wenn sie ihn aus= gerissen hätten, dann hätte[2] ich von Zweig zu Zweig springen und von Ast zu Ast fliegen müssen[2] wie ein Vöglein. Aber da liegen sie, beide mause= tot.“[3] 5

Dann läuft der kleine Schneider schnell zu den Offizieren und Soldaten und spricht:

„Ich habe nichts mehr zu tun. Alles ist fertig. Die Arbeit ist getan.[1] Beide sind mausetot. Aber 10 schwer war es. Welch ein Kampf![4] Sie haben mit aller Macht gekämpft.[4] Sie haben Bäume aus= gerissen[1] und ihr Bestes versucht.[1] Aber das hilft alles nichts, wenn einer kommt wie ich. Sieben auf einen Streich ist zu viel für sie.“ 15

„Und tut[5] dir nichts weh[5] von dem langen Kampf?“ fragen die Offiziere.

„Nichts tut mir weh,“ antwortet der Schneider. „Nicht einmal mein kleiner Finger; nicht einmal ein einziges Haar tut mir weh.“ 20

Die Offiziere und Soldaten trauen[6] seinen Worten zunächst nicht. Dann reiten sie in den Wald hinein

---

[1] ausreißen, tear out; ausgerissen, torn out; getan, done, fin- ished; versucht, tried. [2] dann hätte ich von Zweig zu Zweig springen und von Ast zu Ast fliegen müssen, then I would have had to hop from twig to twig and fly from branch to branch. [3] mausetot, as dead as a doornail. [4] der Kampf, combat, fight, struggle; verb: kämpfen; gekämpft, fought. [5] weh tun, hurt, pain. [6] trauen, trust.

21

und finden dort die beiden Riesen, und beide sind
mausetot. Nicht weit von ihnen liegt eine große
Menge von ausgerissenen Bäumen.

„Welch ein Kampf. Wie müssen sie gekämpft
5 haben!" ruft einer der Offiziere. „Welch ein tap=
ferer Held!"

Dann macht das tapfere Schneiderlein die beiden
Riesen um einen Kopf kürzer, bindet die Köpfe an
einen Ast und gibt sie den Soldaten, um sie dem
10 König zu zeigen. Bald ist er auf dem Wege zu des
Königs Schloß. Die hundert Offiziere und Soldaten
folgen ihm.

Der Schneider tritt vor den König und verlangt
von ihm seine Tochter zur Frau und das halbe
15 Königreich außerdem. Indessen tut[1] es dem König
leid,[1] sehr leid sogar, dem Schneider ein Versprechen
gegeben[2] zu haben. Er hat den fremden Helden
nicht mehr gern und will ihn so bald wie möglich
loswerden. Er sagt:

20 „Ehe[3] du meine Tochter und das halbe Reich be=
kommst,[4] mußt du mir noch einmal beweisen, ob du
wirklich so tapfer bist, wie die Leute sagen. In
einem unserer Wälder lebt ein Einhorn (*unicorn*).
Es ist sehr wild, tötet viele Leute und schadet[5] un=
25 serem Lande. Dieses Einhorn sollst du für uns

---

[1] leid tun, regret, feel sorry for; es tut dem König leid, the
king feels sorry. [2] gegeben, given, made. [3] ehe = bevor, before, ere. [4] bekommen, get, receive, obtain. [5] schaden, harm,
damage.

fangen.[1] Töte es aber nicht, sondern[2] laß es leben.
Ich brauche es für meinen Tiergarten."[3]

„Nichts ist leichter als das," antwortet der kleine
Schneider. „Wer sieben auf einen Streich tötet,
braucht sich vor einem einzigen Einhorn nicht zu
fürchten."

Wieder zieht der Schneider ins Land hinaus,
dieses Mal, um ein wildes Tier zu fangen. Er
nimmt einen Strick (*rope*), ein Messer[4] und einen
Wagen.[5] Mit dem Strick will er das Tier binden;
mit dem Messer will er etwas schneiden; was, wer=
den wir sogleich sehen; mit dem Wagen will er das
Tier zum König bringen. Hundert Leute folgen
ihm. Diese sollen das Tier in den Wagen heben.

Er kommt an den Wald, und wieder sagt er zu
den Leuten:

„Folgt mir nicht; bleibt hier stehen; ich rufe,
wenn ich euch brauche."

Er tritt in den Wald, und schon sieht er das wilde
Tier. Es rennt[6] mit aller Macht auf den Schneider
los[6] und will ihn sogleich mit einem Stoß töten.

„Langsam, immer langsam, ich traue dir nicht,"
sagt der Schneider, bleibt stehen und wartet, bis das
Tier ganz nahe ist. Dann springt er schnell hinter

---

[1] fangen (fängt), catch, capture. [2] sondern (*after a negative*), but. [3] das Tier, animal, beast; + der Garten = der
Tiergarten, zoo. [4] das Messer, knife. [5] der Wagen, wagon,
cart; carriage. [6] rennen, run; losrennen auf + *acc.*, run,
leap toward or at.

einen Baum. Im nächsten Augenblick steckt das
Horn des Tieres so fest in dem Stamm des Baumes,
daß es nicht Kraft genug hat, es wieder herauszu=
ziehen.[1]

IX

5 „Schon haben wir das Vöglein gefangen,“[2] ruft
der Schneider und tritt schnell zu dem Tier. Er
legt ihm einen Strick um den Hals,[3] bindet auch ei=
nen Strick um die vier Beine des Tieres und schnei=
det mit dem Messer das Horn aus dem Baum.
10 Das Tier will aufspringen und fortlaufen, kann aber
nicht auf die Füße kommen, denn der Strick hält es
fest. Dann ruft der Schneider seine Leute und sagt:

„Das Tier kann niemandem mehr schaden. Es
ist gefangen. Hebt es in den Wagen.“
15 Die Leute wollen zunächst ihren Augen nicht
trauen; dann heben sie es in den Wagen, um es dem
König zu bringen.

Wieder tritt der Schneider vor des Königs Thron.
Aber der König will sein Versprechen auch jetzt nicht
20 halten, sondern verlangt noch einen Beweis von des
Schneiders Tapferkeit.[4] Der König spricht:

„Ehe du meine Tochter zur Frau bekommst und
das halbe Reich außerdem, mußt du ein Wild=
schwein[5] fangen. Es lebt nicht weit von hier in

[1] herausziehen, pull, draw out. [2] gefangen, caught, cap-
tured. [3] der Hals, neck; throat. [4] die Tapferkeit, valor.
[5] das Wildschwein, wild boar.

24

einem unserer Wälder und schadet dem Lande sehr."

„Ganz wie der Herr König befiehlt," sagt der Schneider. „Wildschweine sind ganz zahme Tiere, zahm wie die kleinen Kinder." 5

Der Schneider zieht ins Land hinaus, und wieder gibt ihm der König hundert treue Soldaten und Offiziere, um ihm in Gefahr zu helfen. Aber auch dieses Mal läßt der Schneider die Leute vor dem Walde warten. 10

Wie er nun in den Wald kommt, sieht er nach rechts und nach links und nach allen Seiten. Auf einmal sieht das Wildschwein den Schneider und empfängt ihn so, wie Wildschweine den Menschen immer empfangen. Es rennt mit aller Macht auf 15 den Schneider los und will ihn zur Erde werfen. Aber der kleine Held springt schnell wie der Blitz[1] in ein kleines Waldhaus und blitzschnell[1] wieder hinaus. Dann rennt er um das Haus und schließt[2] die Tür. Das wilde Tier ist ihm gefolgt[3] und kann 20 nicht heraus, denn die Fenster sind alle viel zu hoch und auch zu klein. Die Tür ist geschlossen,[2] und das wilde Tier ist gefangen.

Das Schneiderlein rennt blitzschnell zu den Offi=zieren und Soldaten, um ihnen das gefangene Tier 25

---

[1] der Blitz, lightning; blitzschnell, swift as lightning. [2] schließen, close, shut, lock; geschlossen, closed. [3] gefolgt, followed.

zu zeigen. Die kommen und trauen ihren Augen
nicht. Sie sehen durch ein Fenster des Waldhauses,
wie das wilde Tier hin und her läuft und mit aller
Macht gegen die Tür rennt. Die kleinen Augen des
5 Schweines sind wie Feuer und Flammen. Das
Tier ist böse, aber es hilft alles nichts, denn die Tür
des Waldhauses ist geschlossen und das Tier ge=
fangen.

Der kleine Held aber geht in des Königs Schloß,
10 und der König hat nun drei Beweise von des Schnei=
derleins Tapferkeit. Dieses Mal muß er sein Ver=
sprechen halten. Er empfängt ihn mit allen Ehren
und gibt ihm endlich seine einzige Tochter zur Frau
und außerdem das halbe Königreich.

15 Das tapfere Schneiderlein heiratet[1] die schöne
Königstochter, und Heirat[1] und Hochzeit[2] feiert[3]
man natürlich im ganzen Lande mit großer Freude.[4]
Feier[3] und Freude nehmen kein Ende. Endlich sind
alle glücklich, der König und seine Tochter, der
20 große Kriegsheld und das ganze Land.

X

In den ersten Tagen und Wochen nach der Heirat
und der Hochzeitsfeier des kleinen Schneiders geht

---

[1] heiraten, marry, wed; die Heirat, marriage. [2] die Hochzeit,
wedding. [3] feiern, celebrate; die Feier, celebration. [4] die
Freude, joy, pleasure.

alles gut. Freude und Glück sind groß. Nach einiger Zeit aber kann die junge Königin nicht schlafen. In einer Nacht hört sie, wie ihr Mann im Traume sagt:

„Junge,[1] mach mir den Rock schnell fertig, oder ich schlage dich mit dem Stock[2] rechts und links über die Ohren."

Da weiß die junge Königin auf einmal, daß der fremde Held wirklich ein Schneider ist. Am nächsten Morgen geht sie zu ihrem Vater und erzählt ihm, was ihr Mann in der letzten Nacht gesagt[3] hat. Der König hört die Worte seiner Tochter und ist zunächst still; dann versucht er sie zu trösten und sagt:

„Ich will dir sagen, was du tun mußt. Schließe diese Nacht dein Zimmer nicht, sondern laß die Tür offen.[4] Meine Diener sollen vor der Tür stehen und, wenn dein Mann schläft, hineingehen und ihn auf ein Schiff tragen. Das Schiff soll ihn in die Welt hinausführen, und er soll nie wieder zurückkehren."[5]

Die Königstochter hört den Rat ihres Vaters und ist damit zufrieden.[6] Nun hat aber einer der Diener des Königs Worte gehört[7] und sagt dem Schneider, was er gehört hat. Er spricht zu dem Schneiderlein:

„Drei Diener des Königs sollen diese Nacht, wenn du schläfst, vor deiner Tür stehen und hören, was

---

[1] der Junge, boy. [2] der Stock, stick, cane. [3] gesagt, said.
[4] offen, open. [5] zurückkehren = zurückkommen, return, come back. [6] zufrieden, content(ed), satisfied. [7] gehört, heard.

du im Traum sagst. Dann sollen sie dich auf ein
Schiff tragen, das Schiff soll dich in ein fremdes Land
führen, und du sollst nie zurückkehren."

"Gut, daß ich's weiß," sagt der Schneider. "Du
5 bist ein treuer Freund. Du sollst mit mir zufrieden
sein."

Am Abend geht der Schneider zur gewöhnlichen
Stunde zu Bett. Nach einiger Zeit glaubt die Frau,
daß der Schneider in tiefem Schlafe liegt. Sie steht
10 auf, öffnet die Tür, läßt sie offen und kehrt in ihr
Bett zurück. Der Schneider aber schläft nicht und
weiß, warum seine Frau die Tür öffnet und sie
offen läßt. So ruft er mit Donnerstimme:

"Junge, mach mir den Rock schnell fertig, oder ich
15 schlage dich mit dem Stock rechts und links über
die Ohren. Ich habe sieben auf einen Streich ge=
schlagen,[1] zwei Riesen getötet,[1] ein Einhorn gefan=
gen und auch ein Wildschwein. Soll ich mich vor
den Männern an der Tür fürchten?"

20 Wie die Diener den Schneider so sprechen hören,
bekommen sie große Furcht und laufen, als[2] wären
alle bösen Geister hinter ihnen her.[2] Keiner will
länger vor der Tür stehen.

Also ist und bleibt das tapfere Schneiderlein am
25 Ende ein König, solange es lebt.

---

[1] geschlagen, beaten; getötet, killed. [2] als wären alle bösen
Geister hinter ihnen her, as though all evil spirits were after
them.

Schneewittchen.[1]

I

Es ist Winter, und die Schneeflocken[1] fallen
wie Federn vom Himmel herab. Da sitzt eine
Königin an einem Fenster und stickt. Das Fenster
hat einen Rahmen[2] aus schwarzem[3] Ebenholz.[4] Und
wie sie so arbeitet, sticht[5] sie sich in den Finger, und 5
drei Tropfen[6] Blut fallen in den Schnee. Das rote
Blut im weißen Schnee sieht sehr schön aus, und sie
denkt bei sich:

„Wenn ich nur ein Kind hätte (*had*), so weiß wie
Schnee, so rot wie Blut und so schwarzhaarig[3] wie 10
das Holz[4] an dem Rahmen."

Bald darauf[7] bekommt sie ein Töchterlein; das
ist so weiß wie Schnee, so rot wie Blut und so
schwarzhaarig wie Ebenholz. Darum[8] nennt man
es Schneewittchen oder Schneeweißchen. Aber wie 15
das Kind zur Welt kommt, stirbt die Königin.

Ein Jahr darauf heiratet der König eine andere
Frau. Diese ist schön, aber sie ist sehr stolz und kann
nicht leiden,[9] daß jemand schöner ist als sie selbst.

---

[1] der Schnee, snow; Schneewittchen, Snow White; die
Schneeflocke, snowflake. [2] der Rahmen, frame. [3] schwarz,
black; schwarzhaarig, black-haired. [4] das Holz, wood; das
Ebenholz, ebony. [5] stechen (sticht), sting, prick; stab. [6] der
Tropfen, drop. [7] darauf, thereupon; upon it. [8] darum,
therefore. [9] leiden, bear, suffer, endure.

Sie hat einen wunderschönen Spiegel,[1] und wenn
sie vor ihn tritt und sich besieht (ansieht), spricht sie:

"Spieglein, Spieglein an der Wand,
wer ist die Schönste im ganzen Land?"

5 Dann antwortet der Spiegel:

"Frau Königin, Ihr[2] seid die Schönste im ganzen
Land."

Sie weiß, daß der Spiegel ein wahrer[3] Freund ist
und nichts als die Wahrheit[3] sagt, und darum ist sie
10 zufrieden.

Schneewittchen aber wächst[4] heran[4] und wird
immer schöner, und wie sie sieben Jahre alt ist, ist
sie so schön wie der klare Tag und schöner als die
Königin selbst. Wie diese einmal den Spiegel fragt:

15 "Spieglein, Spieglein an der Wand,
wer ist die Schönste im ganzen Land?"

antwortet er:

"Frau Königin, Ihr seid die Schönste hier,
aber Schneewittchen ist tausendmal schöner als
20 Ihr."

Da erschrickt[5] die Königin und wird gelb[6] und
grün[6] vor Neid.[7] Von dieser Stunde an, wenn sie
Schneewittchen sieht, tut ihr das Herz im Leibe
weh, so haßt sie das Mädchen. Und Neid und Stolz[8]

---

[1] der Spiegel, mirror. [2] Ihr, old form of polite address.
[3] wahr, true; die Wahrheit, truth. [4] wachsen (wächst), grow;
heranwachsen, grow up. [5] erschrecken (erschrickt), be frightened.
[6] gelb, yellow; grün, green. [7] der Neid, envy; vor Neid,
with envy. [8] der Stolz, pride.

wachsen in ihrem Herzen heran und werden immer stärker. Tag und Nacht kann sie nicht ruhen[1] vor Neid, und sie findet gar keine Ruhe[1] mehr. Eines Tages ruft sie den Jäger[2] und spricht:

„Bringe das Kind hinaus in den Wald; ich will es nicht mehr vor meinen Augen sehen. Töte es und bringe mir sein Herz zum Zeichen,[3] daß es tot ist."

Der Jäger hört den Befehl und führt das Kind hinaus, und wie er das Messer in der Hand hält und das Kind töten will, fängt es an, bitterlich zu weinen, und spricht:

„Guter Jäger, laß mir mein Leben. Ich will in den Wald hinauslaufen und nie wieder nach Hause[4] kommen."

Und weil[5] es so schön ist, tut es dem Jäger leid, und er spricht: „So lauf, du armes Kind." Bei sich denkt er traurig: „Die wilden Tiere werden dich bald töten," und doch fühlt er sich freier, weil er das arme Kind nicht selbst töten muß. Und wie gerade ein Wildschwein über den Weg springt, tötet er es, nimmt sein Herz heraus und bringt es der Königin zum Zeichen, daß das Kind tot ist. Der Koch[6] muß es kochen,[6] und das böse Weib[7] ißt und glaubt, daß sie Schneewittchens Herz gegessen[8] hat.

---

[1] ruhen, rest; *noun:* die Ruhe. [2] der Jäger, hunter. [3] das Zeichen, sign; zum Zeichen, as a sign *or* proof. [4] nach Hause, home. [5] weil, because, since. [6] der Koch, cook; kochen, cook, boil. [7] das Weib, woman. [8] gegessen, eaten.

31

II

Nun ist das arme Kind in dem großen, dunklen[1]
Walde ganz allein, und es fürchtet sich so sehr,
daß es alle Blätter an den Bäumen ansieht und
nicht weiß, was es tun soll. Da fängt es an zu
5 laufen und läuft über spitze[2] Steine und durch
spitze Dornen (*thorns*), und die wilden · Tiere
springen über den Weg und tun ihm nichts Böses.
Es läuft so lange, bis die Füße müde werden und
es dunkel wird.

10 Da sieht es ein kleines Häuschen und geht hinein,
um ein wenig zu ruhen. In dem Häuschen ist alles
klein, aber sehr nett[3] und reinlich.[3] Da steht ein
weiß gedecktes[4] Tischlein. Auf der Decke[4] stehen
sieben kleine Teller,[5] jedes Tellerchen mit sieben
15 Löffelchen,[6] auch sieben Messerchen und Gäbelchen.[7]
An der Wand stehen sieben Bettchen nebeneinander,
und schneeweiße Decken liegen darauf.

Schneewittchen ist hungrig und durstig[8] und ißt
von jedem Teller ein wenig Gemüse[9] und Brot
20 und trinkt aus jedem Gläslein einen Tropfen Wein,
denn es will nicht alles von einem Teller nehmen.
Es ist müde und legt sich auf ein Bettchen, aber

---

[1] dunkel, dark. [2] spitz, pointed. [3] nett, neat; rein, reinlich, clean(ly), neat(ly). [4] decken, cover; gedeckt, covered;
die Decke, cover; tablecloth; bedspread. [5] der Teller, plate.
[6] der Löffel, spoon. [7] die Gabel, fork. [8] der Durst, thirst;
durstig, thirsty. [9] das Gemüse, vegetable.

32

das eine ist zu kurz, das andere zu lang, und nur das siebente (*seventh*) ist gerade recht. Darin bleibt es liegen,[1] betet[2] zu Gott und schläft ein.

Wie es nun dunkel wird, kommen die sieben Herren des Häusleins; das sind die sieben Zwerge (*dwarfs*); sie kommen aus sieben Bergen, wo sie nach Gold und Eisen graben. Sie zünden[3] ihre Lichtlein[4] an,[3] und wie es nun hell[5] in dem Häuschen wird, sehen sie, daß jemand dort gewesen[6] ist.

Der erste (*first*) spricht: „Wer hat auf meinem Stühlchen gesessen?"[6] Der zweite (*second*): „Wer hat von meinem Tellerchen gegessen?"[6] Der dritte (*third*): „Wer hat von meinem Brötlein genommen?"[6] Der vierte (*fourth*): „Wer hat von meinem Gemüse gegessen?" Der fünfte (*fifth*): „Wer hat mit meinem Gäbelchen gestochen?"[6] Der sechste (*sixth*): „Wer hat mit meinem Messerchen geschnitten?"[6] Der siebente (*seventh*): „Wer hat aus meinem Gläslein getrunken?"[6]

Der erste sieht, daß jemand in seinem Bett gelegen[6] hat. Da spricht er: „Wer ist in mein Bettchen getreten?"[6] Die anderen kommen gelaufen[7] und rufen: „In meinem hat auch jemand

---

[1] liegen bleiben, remain lying. [2] beten, pray. [3] anzünden, light, ignite. [4] das Licht, light; candle. [5] hell, bright, light. [6] gewesen, been; gesessen, sat, been sitting; gegessen, eaten; genommen, taken; gestochen, stabbed; geschnitten, cut; getrunken, drunk; gelegen, lain, been lying; getreten, stepped. [7] gelaufen kommen, come running.

gelegen." Der siebente aber, wie er sein Bett an=
sieht, sieht Schneewittchen; das liegt darin und
schläft. Nun ruft er die anderen. Die kommen ge=
laufen und schreien¹ und wundern² sich und rufen:
5 „Ach, Himmel! Wie wunderschön ist das Kind!"
Ihre Freude ist so groß, daß sie es ruhen lassen. Der
siebente Zwerg aber schläft bei seinen Freunden,
bei jedem eine Stunde, und so ist es bald Tag.

Wie es hell ist, wacht Schneewittchen auf, und
10 wie sie die sieben Zwerge sieht, erschrickt sie. Sie
sind aber freundlich und fragen: „Wie heißt
du?" — „Ich heiße Schneewittchen," antwortet sie.
— „Wie bist du in unser Haus gekommen?"³ fragen
sie. Da erzählt sie ihnen, daß sie eine Stiefmutter
15 (*stepmother*) hat, daß die Stiefmutter dem Jäger
befohlen³ hat, sie zu töten und daß der Jäger ihr
das Leben geschenkt³ hat.

Die Zwerge sagen: „Willst du für uns das Haus
in Ordnung⁴ halten, ordentlich⁵ arbeiten, kochen,
20 waschen, die Betten machen und alles nett und
reinlich halten, so kannst du bei uns bleiben, und es
soll dir recht gut gehen."

„Sehr gern," sagt Schneewittchen, und es bleibt
bei ihnen. Es hält alles in Ordnung, arbeitet or=
25 dentlich, kocht, wäscht, macht die Betten und hält

---

¹ schreien, cry, shout. ² sich wundern, wonder, be surprised.
³ gekommen, come; befohlen, ordered; geschenkt, made a
present of. ⁴ die Ordnung, order; in Ordnung halten, keep
in order. ⁵ ordentlich, proper(ly).

34

alles nett und reinlich. Am Morgen, wenn es hell
ist, gehen die Zwerge in die Berge und graben dort
nach Gold und Eisen. Am Abend kehren sie nach
Hause zurück, und da muß alles in bester Ordnung
und das Essen bereit sein.   5

III

Während[1] des Tages ist das Mädchen allein, und
die guten Zwerge warnen es und sprechen:

„Du mußt gut aufpassen,[2] denn deine Stiefmutter
wird bald erfahren, daß du hier bist. Laß während
des Tages niemand herein!"   10

Die Königin aber meint, daß sie Schneewittchens
Herz gegessen hat und daß sie wieder die Schönste
im Lande ist. Sie tritt vor den Spiegel und fragt:

„Spieglein, Spieglein an der Wand,
     wer ist die Schönste im ganzen Land?"   15

Und der Spiegel antwortet:

„Frau Königin, Ihr seid die Schönste hier,
aber Schneewittchen über den Bergen
bei den sieben Zwergen
ist noch tausendmal schöner als Ihr."   20

Da erschrickt sie, denn sie weiß, daß der Spiegel
ein wahrer Freund ist und keine Unwahrheit[3]
spricht, und sie merkt,[4] daß der Jäger die Unwahrheit

---

[1] während, during. [2] aufpassen, pay attention, be on the
lookout. [3] die Unwahrheit, falsehood, lie. [4] merken, note,
mark, notice.

35

gesagt[1] hat und daß Schneewittchen noch lebt. Und
da denkt sie hin und her und fragt sich, wie sie es
töten kann, denn solange sie nicht die Schönste im
Lande ist, lassen Stolz und Neid ihr keine Ruhe. End=
5 lich hat sie sich etwas ausgedacht.[2] Sie färbt[3] sich das
Gesicht[3] und legt die Kleider einer alten Bauersfrau
an; man erkennt sie nicht wieder. In dieser Gestalt[4]
geht sie über die sieben Berge zu den sieben Zwer=
gen, klopft[5] an die Tür und ruft:

10   „Schöne Ware zu verkaufen,[6] schöne Ware!"

Schneewittchen sieht hinaus und ruft: „Guten
Tag, liebe Frau; was habt Ihr denn zu verkau=
fen?"

„Gute Ware, schöne Ware; Schnürbänder[7] von
15 allen Farben."[3]

Dann nimmt sie einige Schnürbänder heraus und
zeigt sie dem Mädchen.

„Diese gute Frau darf ich hereinlassen," denkt
Schneewittchen, macht die Tür auf und kauft eins
20 der seidenen Schnürbänder.

„Liebes Kind," spricht die Frau, „wie siehst du
denn aus? Komm, ich will dich einmal ordentlich
schnüren."[7] Schneewittchen hat keine Furcht, stellt

---

[1] gesagt, said, spoken.   [2] ausdenken, think out, contrive;
ausgedacht, thought out.   [3] färben, color, dye; sie färbt sich
das Gesicht, she stains her face; die Farbe, color, dye, paint.
[4] die Gestalt, form, figure, shape.   [5] klopfen, knock, rap.
[6] verkaufen, sell.   [7] schnüren, tie up, lace + das Band, ribbon
= das Schnürband, lace.

36

sich vor das alte Weib und läßt sich schnüren.
Aber das falsche[1] Weib schnürt das arme Kind so
fest, daß es nicht mehr atmen[2] kann und wie tot
zur Erde fällt.

„Nun bist du die Schönste gewesen,“[3] schreit das 5
böse, falsche Weib mit ihrer scharfen Stimme und
eilt[4] hinaus.

IV

Nicht lange darauf wird es dunkel. Die Zwerge
kehren nach Hause zurück und zünden Lichter an. 10
Aber sie erschrecken sehr, wie sie sehen, daß ihr
liebes Schneewittchen auf der Erde liegt, sich nicht
bewegt und nicht atmet. Sie heben es auf und
merken, daß es zu fest geschnürt[5] ist. Sie schneiden
das Schnürband durch, und da fängt es an, ein
wenig zu atmen, und bald kommt es zum Leben. 15
Die Zwerge hören, was geschehen[6] ist und sprechen;

„Die alte Frau war niemand anders als[7] die
falsche Königin selbst. Paß auf und laß während des
Tages, wenn wir nicht zu Hause sind, keinen Men=
schen herein!“ 20

In ihrem Schloß tritt die Stiefmutter vor den
Spiegel und fragt:

[1] falsch, false, deceitful. [2] atmen, breathe. [3] nun bist du die
Schönste gewesen, now you are no longer the fairest of all.
[4] eilen, hasten, hurry. [5] geschnürt, laced. [6] geschehen (ge=
schieht), happen; *here:* happened. [7] niemand anders als, none
but.

37

> „Spieglein, Spieglein an der Wand,
> wer ist die Schönste im ganzen Land?"

Da antwortet der Spiegel:

> „Frau Königin, Ihr seid die Schönste hier,
> 5   aber Schneewittchen über den Bergen
> bei den sieben Zwergen
> ist noch tausendmal schöner als Ihr."

Wie sie das hört, erschrickt sie so, daß ihr alles Blut zum Herzen läuft. Sie kann Schneewittchen nicht 10 leiden und weiß, daß der Spiegel ein wahrer Freund ist, nie eine Unwahrheit sagt und das Kind noch lebendig[1] ist.

„Nun aber," denkt sie bei sich, „will ich etwas ausdenken, was sie gewiß töten wird."

15 Sie versteht die Kunst[2] der Hexen (*witches*) und macht einen giftigen[3] Kamm.[4] Wieder färbt sie sich das Gesicht und legt die Kleider eines alten Weibes an. In dieser Gestalt geht sie über die sieben Berge zu den sieben Zwergen, klopft an die 20 Tür und ruft:

„Gute Ware zu verkaufen! Wunderschöne Ware zu verkaufen!" Schneewittchen kommt ans Fenster und spricht: „Geh nur weiter; ich darf niemand hereinlassen."

25 „Aber du darfst meine gute Ware ansehen," sagt das böse Weib, nimmt den giftigen Kamm heraus

---

[1] lebendig, alive, living. [2] die Kunst, art; skill. [3] giftig, poisonous. [4] der Kamm, comb; *verb:* kämmen.

38

und zeigt ihn dem Kinde. Da gefällt der Kamm Schneewittchen so gut, daß es die Tür öffnet.

„Nun will ich dich einmal ordentlich kämmen,"[1] spricht das Weib. Schneewittchen traut der Frau und läßt sich kämmen, aber kaum[2] hat sie den Kamm in die Haare gesteckt,[3] da wirkt[4] das Gift,[5] und das Mädchen fällt wie tot zur Erde.

„Nun bist du die Schönste gewesen," schreit die falsche Hexe und eilt hinaus.

V

Bald darauf wird es dunkel, und die sieben Zwerge kehren nach Hause zurück. Sie zünden die Lichter an, und wie es hell wird, sehen sie Schneewittchen auf der Erde liegen und denken sogleich an die böse Stiefmutter. Sie suchen und finden den giftigen Kamm, ziehen ihn aus dem Haar, und kaum ist er herausgezogen,[6] da wirkt das Gift nicht mehr, und Schneewittchen wird wieder lebendig und erzählt, was geschehen ist. Die Zwerge warnen das Kind noch einmal, recht gut aufzupassen und die Tür während des Tages nicht zu öffnen.

Zu Hause stellt sich die Königin vor den Spiegel und spricht:

[1] See note 4, page 38. [2] kaum, hardly, scarcely. [3] gesteckt, put. [4] wirken, work, react, take effect. [5] das Gift, poison. [6] herausgezogen, pulled out.

„Spieglein, Spieglein an der Wand,
wer ist die Schönste im ganzen Land?"

Da antwortet der Spiegel:

„Frau Königin, Ihr seid die Schönste hier,
5   aber Schneewittchen über den Bergen
bei den sieben Zwergen
ist noch tausendmal schöner als Ihr."

Wie sie den Spiegel so reden hört, wird sie wie=
der gelb und grün vor Neid. „Schneewittchen soll
10 sterben," schreit sie, „und wenn es mein eigenes[1]
Leben kostet."[2] Darauf geht sie in ein Zimmer, wo
niemand hereinkommt, und macht einen giftigen,
sehr giftigen Apfel. Der Apfel ist mit großer Kunst
gemacht.[3] Außen[4] sieht er schön aus, weiß mit
15 roten Backen,[5] so daß jeder ihn gern ißt, wenn er
ihn nur sieht. Innen[6] aber ist er giftig. Wer nur
ein Stückchen ißt, muß sogleich sterben. Wie der
Apfel fertig ist, färbt sie sich das Gesicht, legt die
Kleider eines alten Weibes an, und in dieser Gestalt
20 geht sie über die sieben Berge zu den sieben Zwer=
gen. Sie klopft an die Tür, und Schneewittchen
sieht heraus und spricht:

„Es tut mir leid. Ich darf niemand hereinlassen.
Die sieben Zwerge haben es verboten."

25   „Das ist mir recht,"[7] sagt das böse Weib. „Meine
Apfel kann ich leicht loswerden. Sie kosten nur

[1] eigen, own. [2] kosten, cost. [3] gemacht, made. [4] außen,
outside. [5] die Backe, cheek. [6] innen, inside. [7] das ist mir
recht, that is agreeable to me, that suits me.

wenig. Einer kostet nichts. Da, einen schenke ich dir. Du brauchst nicht zu fürchten, daß er giftig ist. Sieh, ich schneide diesen Apfel in zwei Teile[1]; der Teil mit der roten Backe ist für dich; den weißen Teil esse ich selbst. Nun iß ordentlich."

Der Apfel aber ist von der falschen Hexe mit so großer Kunst gemacht, daß beide Teile außen und innen gleich gut aussehen und daß der rote Teil allein innen vergiftet[2] ist. Schneewittchen sieht, daß die Frau einen Teil ißt, und kann nicht länger warten. Sie streckt die Hand aus dem Fenster und nimmt den giftigen Teil. Kaum hat sie ein Stück im Munde,[3] so fällt sie tot zur Erde. Die Königin sieht sie mit bösen Blicken an und schreit:

„Weiß wie Schnee, rot wie Blut und schwarz-haarig wie Ebenholz. Dieses Mal können die Zwerge dich nicht wieder lebendig machen. Du bist die Schönste gewesen!"

Dann eilt sie hinaus. Zu Hause tritt sie vor den Spiegel und fragt:

„Spieglein, Spieglein an der Wand,
wer ist die Schönste im ganzen Land?"

Und der Spiegel antwortet:

„Frau Königin, Ihr seid die Schönste im Land."

Jetzt hat ihr neidisches[4] Herz Ruhe, so gut ein neidisches Herz Ruhe haben kann.

[1] der Teil, part. [2] vergiften, poison; vergiftet, poisoned. [3] der Mund, mouth. [4] neidisch, envious.

41

VI

Die Zwerglein, wie sie am Abend nach Hause kom=
men, finden Schneewittchen auf der Erde liegen.
Kein Atem[1] geht mehr aus ihrem Munde, und sie
ist tot. Sie heben sie auf und versuchen, Gift zu
5 finden. Sie schnüren sie auf, kämmen ihr Haar,
waschen sie mit Wasser und Wein, aber es hilft alles
nichts. Das liebe Kind ist und bleibt tot.

Sie legen es auf eine Bahre (*bier*), setzen sich
daran[2] und beten und beweinen[3] es drei Tage lang.
10 Dann wollen sie das Kind begraben,[4] aber es sieht
noch so frisch aus wie ein lebendiger Mensch und
hat noch immer seine schönen roten Backen.

"Das können wir nicht begraben und in die
schwarze Erde legen," sprechen sie, und sie lassen
15 einen Sarg (*coffin*) aus Glas machen, daß man das
Kind von allen Seiten sehen kann, legen es hinein
und schreiben[5] mit goldenen Buchstaben auf den
Sarg:

"Schneewittchen, eine Königstochter."

20 Dann tragen sie das Kind hinaus auf den Berg,
und einer von ihnen wacht und bleibt immer bei
dem Sarge. Und die Tiere kommen auch und be=
weinen das schöne Kind. Zuerst[6] kommt eine Eule

---

[1] der Atem, breath. [2] daran, at, on, to it. [3] beweinen,
weep for, mourn. [4] begraben, bury. [5] schreiben, write.
[6] zuerst = zunächst, at first.

(*owl*), dann ein Rabe (*raven*) und zuletzt[1] eine
Taube (*pigeon*).

Nun liegt Schneewittchen lange Zeit im Sarg
und sieht nicht tot aus, sondern immer noch so weiß
wie Schnee, so rot wie Blut und so schwarzhaarig 5
wie Ebenholz. Es geschieht aber, daß ein Königs=
sohn in den Wald kommt und das Häuslein der
Zwerge findet. Er geht hinein, um zu ruhen. Wie
er nun seines Weges ziehen will, sieht er auf dem
Berg den Sarg und darin das schöne Schneewittchen, 10
und er liest, was mit goldenen Buchstaben auf dem
Sarg geschrieben[2] ist.

Da spricht er zu den Zwergen: „Verkauft mir
den Sarg; ich will euch geben, was ihr verlangt."
Aber die Zwerge antworten: 15

„Wir verkaufen ihn nicht für alles Gold in der
Welt."

Da spricht der Königssohn: „So schenkt ihn mir,
denn ich kann nicht leben, ohne Schneewittchen zu
sehen. Ich will es ehren[3] und achten[4] wie mein 20
Liebstes."[5]

Wie der Königssohn so spricht, tut er den guten
Zwergen leid, und sie geben ihm den Sarg. Der
Königssohn läßt ihn von seinen Dienern auf den
Schultern forttragen. Da geschieht es, daß die 25
Diener an einen Stein stoßen und daß von dem Stoß

---

[1] zuletzt, at last. [2] geschrieben, written. [3] ehren, honor.
[4] achten, esteem. [5] das Liebste, dearest, most precious possession.

das Stück des vergifteten Apfels aus Schneewitt=
chens Mund fällt. Nicht lange darauf öffnet es die
Augen, sitzt aufrecht (*sits up*) und ist wieder le=
bendig.

5   „Himmel! Wo bin ich?" ruft es. Der Königs=
sohn sagt voll Freude: „Du bist bei mir." Dann er=
zählt er, was geschehen ist, und spricht: „Du bist
mein Liebstes auf der Welt. Ich will dich ehren
und achten, so lange wie ich lebe. Ich hab' dich
10 lieber[1] als alles auf dieser Welt. Komm mit mir in
meines Vaters Schloß. Dort wird man dich ehren
und achten, so lange wie du lebst."

Da hat auch Schneewittchen ihn lieb,[1] geht mit
ihm und heiratet ihn. Die Hochzeit feiert man
15 herrlich und in Freuden. Ein Fest[2] folgt dem an=
deren. Nun soll zum Hochzeitsfest auch die falsche
Stiefmutter kommen, und wie sie ihre besten Kleider
anlegt, vor den Spiegel tritt und fragt:

„Spieglein, Spieglein an der Wand,
20   wer ist die Schönste im ganzen Land?"

da antwortet der Spiegel:

„Frau Königin, Ihr seid die Schönste hier,
aber die junge Königin ist tausendmal schöner
als Ihr."

25 Die böse, falsche Frau schreit laut und fürchtet
sich so sehr, daß sie nicht weiß, was sie anfangen

[1] lieb haben, be fond of; lieber haben, be more fond of.
[2] das Fest, festival.

44

soll. Zuerst will sie nicht zu dem Hochzeitsfest
gehen, später aber hat sie keine Ruhe, bis sie da ist.
Und wie sie in das Schloß tritt und Schneewittchen
erkennt, erschrickt sie so sehr, daß sie sich nicht bewe=
gen kann.   5

Aber schon bringt ein Diener Schuhe[1] aus Eisen.
Er hält die Schuhe mit einer Zange (*tongs*) über
ein Feuer. Die Flammen machen die Schuhe glü=
hend,[2] und die falsche Königin muß in den glühenden
Schuhen tanzen, bis sie tot zur Erde fällt.   10

[1] der Schuh, shoe. [2] glühen, glow; glühend, glowing, red
hot.

LIST OF IDIOMS IN ORDER OF OCCURRENCE
(Numbers refer to pages)

Erzählungen und Anekdoten

Retold and Edited
BY

PETER HAGBOLDT
The University of Chicago

Adding 210 words and 20 idioms to the 605 words
and 70 idioms used in Booklets I and II
Total, about 815 words of high frequency
and 90 common idioms

BOOK THREE — ALTERNATE

D. C. HEATH AND COMPANY
BOSTON

„Dieser Mann hat hundert Taler in Gold in der Tasche!"

1. Frühe Weisheit.[1]

Ein kleines Mädchen von kaum fünf Jahren hatte
seine Mutter ebenso[2] lieb wie seine Großmutter.
Eines Tages feierte die Familie den Geburtstag[3]
der Großmutter. Die ganze Familie saß um den
Tisch, Brüder und Schwestern, Söhne und Töchter, 5
Onkel und Tanten, alle waren gekommen, um den
Geburtstag der Großmutter zu feiern. Die Mutter
wandte sich zu der Kleinen[4] und sprach:

„Heute feiern wir Großmutters Geburtstag.
Du mußt beten und den lieben Gott bitten, daß er 10
sie sehr alt werden läßt."

Die Kleine sah ihre Mutter mit großen Augen
an und antwortete erstaunt[5]:

„Ach, Mutter, ich habe die Großmutter ebenso
lieb wie dich, aber sie ist heute schon siebzig (*seventy*) 15
Jahre alt. Ist es nicht ebenso gut oder sogar
besser, wenn ich bete und den lieben Gott bitte,
daß er sie schnell wieder ganz jung werden läßt?"

---

[1] die Weisheit, wisdom. [2] ebenso, just as. [3] der Geburts=
tag, birthday. [4] der (die, das) Kleine, little one, child. [5] er=
staunen, be astonished; erstaunt, astonished.

Sprichwörter.[1]

1. Weisheit ist besser als Geld und Gold.
2. Weisheit ist des Lebens Auge.
3. Die kleinen Kinder sind die besten Kinder.
4. Kinder sind Kinder.
5. Er feiert sechs Tage in der Woche, und am siebenten (*seventh*) Tage tut er nichts.

2. Die kleinsten Stücke.

Der kleine Karl ging schon seit einigen Wochen zur Schule. Paul, ein Freund aus Karls Klasse, feierte seinen Geburtstag. Er bat Karl, zu seiner Geburtstagsfeier[2] zu kommen. Ehe Karl aus dem
5 Hause ging, sprach die Mutter zu ihm:

„Karlchen, paß auf! Nimm nicht immer die größten Stücke, wie du es gewöhnlich bei Tisch tust. Nimm immer nur die kleinsten Stücke. Vergiß es nicht wieder."

10 Karlchen ging nun zu der Geburtsfeier seines Freundes Paul. Nach mehreren[3] Stunden kehrte er nach Hause zurück.

„Nun, was gab es?"[4] fragte die Mutter.

„Es gab Milch, Kuchen[5] und Äpfel. Auf einem

[1] das Sprichwort, proverb. [2] die Geburtstagsfeier = das Geburtstagsfest, birthday celebration. [3] mehrere, several. [4] es gibt (gab), there is (was); was gab es? what did they have (to eat)? [5] der Kuchen, cake.

2

Teller lag der Kuchen; auf einem anderen lagen
mehrere Äpfel, ein großer und sechs kleine. Da
dachte ich an deine Worte und habe die sechs kleinen
genommen."

Sprichwörter.

1. Man muß die Feste feiern, wie sie fallen.
2. Mein Haus, meine Welt.
3. Ist die Katz nicht zu Haus, läuft die Maus
ein und aus.

3. Das Mittagessen[1] im Hof.

Man klagt[2] oft, daß es schwer oder ganz un=
möglich ist, mit manchen[3] unfreundlichen Menschen
freundlich zu sein. Vielleicht ist es wahr, vielleicht
auch nicht. Indessen sind manche Menschen von
dieser Art[4] gar nicht schlecht, sondern wir verstehen 5
sie nur nicht. Manche Menschen kommen durch
gute Lehren[5] zur Wahrheit.

Ein Herr kam eines Mittags[1] nach Hause und
setzte sich zum Mittagessen an den Tisch. Er hatte
in seinem Geschäft vielleicht nicht genug verdient,[6] 10

[1] der Mittag, noon + das Essen = das Mittagessen, midday
meal, lunch, dinner; eines Mittags, one noon. [2] klagen,
complain, lament. [3] mancher, many a; *pl.* some. [4] die
Art, kind, sort. [5] die Lehre, lesson; lehren, teach. [6] ver=
dienen, earn; deserve.

oder er hatte vielleicht sogar Geld verloren. Wie
es auch sein mag,[1] der Herr war nicht zufrieden.

Der Diener kam und brachte die Suppe auf den
Tisch. Der Herr fand sie zu kalt oder zu heiß.[2] Er
5 sprang auf, nahm den Teller und warf ihn mit
der Suppe durch das offene Fenster in den Hof
hinab. Was tat der erstaunte Diener? Er klagte
nicht, sondern dachte bei sich:

„Wie es auch sein mag, ein Herr von dieser Art
10 verdient eine gute Lehre. Ich will ihn etwas
lehren[3]; er soll meine Lehre nie vergessen."

Dann warf er den Fisch und das Fleisch, das Ge=
müse und die Kartoffeln,[4] das Brot, die Butter,
die Teller und Gläser durch das offene Fenster auf
15 den Hof hinab.

„Was fehlt dir?" rief der Herr mit rotem, bösem
Gesicht.

Der Diener antwortete ganz ruhig[5]:

„Es tut mir leid, Herr, wenn ich Ihre Absicht[6]
20 nicht verstanden habe. Ich dachte bei mir: ‚Der
Herr hat die Absicht, bei diesem heißen Wetter[7]
im Hof zu essen, denn der Himmel ist so blau, die
Luft so klar und der Tag so wunderschön.' "

Der Herr erkannte seinen Fehler[8] sogleich. Er
25 sah den blauen Himmel, vergaß das heiße Wetter

---

[1] mögen, may; wie es auch sein mag, however it may be.
[2] heiß, hot. [3] See note 5, page 3. [4] die Kartoffel, potato.
[5] ruhig, calm(ly), quiet(ly). [6] die Absicht, intention. [7] das
Wetter, weather. [8] der Fehler, mistake, blunder, error.

4

und freute sich über die Weisheit und die gute Lehre seines treuen Dieners.

Sprichwörter.

1. Klagen hilft nicht.
2. Wie die Lehre, so das Leben.
3. Der eine verdient es, der andere bekommt es.
4. Was heiß ist, muß man blasen.
5. Er zählt fremde Fehler, die eignen Fehler sieht er nicht.
6. Keiner ist ohne Fehler.
7. Er ist im siebenten Himmel.
8. Die dümmsten Bauern haben die dicksten Kartoffeln.

4. Ludwig Uhland.

Ludwig Uhland war ein deutscher Dichter.[1] Er war im Jahre siebzehnhundertsiebenundachtzig (1787) geboren[2] und starb im Jahre achtzehnhundertzweiundsechzig (1862). Sein Großvater war Professor der Theologie, sein Vater Universitäts= sekretär.[3] Er lebte in Tübingen, einer kleinen Universitätsstadt in Württemberg. Als er fünf=

[1] der Dichter, poet; die Dichtung, poetry; das Gedicht, poem. [2] geboren, born. [3] die Universität, university.

zehn (*fifteen*) Jahre alt war, fing er an, die Rechte[1]
zu studieren.[2] In wenigen Jahren war er Doktor
der Rechte. Aber er hatte die Dichtung[3] und die
Literatür viel lieber als alles andere.   Später[4]
5 ging er nach Paris und studierte dort Handschriften
(*manuscripts*) alter Dichter und ihrer Dichtungen.
Noch später wurde er Professor der Literatür=
geschichte[5] an der Universität Tübingen.

   Uhland hat dem deutschen Volke[6] viele schöne
10 Balläden geschenkt und auch viele herrliche Ge=
dichte.[3] Von Uhland erzählt man die folgende
wahre Geschichte:

   Uhland antwortete nicht gern auf Briefe.[7]
Wenn er nach langer Zeit endlich antwortete, so
15 schrieb er immer einen kurzen Brief. Einer seiner
Freunde bat ihn einmal, mit seiner Frau zum
Mittagessen zu kommen. Uhland kam mit seiner
Frau. Bei Tisch sprach man von vielen Dingen,[8]
und Uhland sagte:

20   „Jedes Ding hat zwei Seiten.“

   Frau Uhland wollte dieses nicht glauben und
meinte:

   „Das ist nicht ganz wahr, lieber Freund. Ein
gewisses Ding hat nie zwei Seiten.“

---

[1] das Recht, law; right, justice.   [2] studieren, study.   [3] See
note 1, page 5.   [4] spät, late.   [5] die Literatur, literature + die
Geschichte, history = die Literaturgeschichte, story *or* history of
literature.   [6] das Volk, people; nation.   [7] der Brief, letter.
[8] das Ding, thing.

„Welches Ding?" fragte Uhland erstaunt.

„Deine Briefe haben immer nur eine einzige Seite,"[1] antwortete Frau Uhland.

Sprichwörter.

1. Der Dichter wird geboren (*is born*).
2. Wo nichts ist, hat der Kaiser sein Recht verloren.
3. Andere Länder, andere Rechte.
4. Ein guter Rat kommt nie zu spät.
5. Besser spät als nie.
6. Zu spät ist zu spät.
7. Aus der Geschichte kann man alles beweisen.
8. Aller guten Dinge sind drei.
9. Jedes Ding will sein Recht haben.
10. Man muß die Dinge nehmen, wie sie sind.
11. Neue[2] Dinge, neue Namen.

5. Mark Twains Humor.

Mark Twain, der große amerikanische Humorist, reiste[3] viel, weit und gern. Einmal reiste er durch Deutschland.[4] Auf der Reise[3] las er in einer amerikanischen Zeitung[5] seinen eigenen Namen. Er las

[1] die Seite, *here:* page. [2] neu, new. [3] reisen, travel; die Reise, trip, journey. [4] Deutschland, Germany. [5] die Zeitung, journal, newspaper.

einen Bericht über sich selbst. Die Zeitung berichtete:

„Der große Dichter und Humorist Mark Twain
ist auf einer Reise durch Deutschland in Heidelberg
5 gestorben."

Mark Twain wollte seinen Augen nicht trauen.
Sobald wie möglich schickte er ein Telegramm an
die amerikanische Zeitung mit den folgenden Worten:

10 „Bericht von meinem Tode[1] stark übertrieben
(*exaggerated*)."

Ein anderes Mal kam er auf der Reise in eine
große Stadt. Eines Abends merkte er, daß ein
Dieb[2] Mark Twains goldene Uhr[3] aus der Tasche
15 nehmen wollte. Er sah es nur mit einem Auge,
aber gerade noch zur rechten Zeit. Schnell wandte
er sich mit lachendem Gesicht zu dem erschrockenen
und erstaunten Dieb und sagte:

„Verzeihen[4] Sie, daß ich gesehen habe, was
20 Sie tun wollten. Aber meine Uhr geht nicht.
Heute morgen ist sie stehengeblieben. Ich wollte
sie gerade zum Uhrmacher[5] bringen. Wollen Sie
nicht so freundlich sein, morgen noch einmal zu
versuchen?"

[1] der Tod, death. [2] der Dieb, thief. [3] die Uhr, watch;
clock. [4] verzeihen, pardon, forgive. [5] der Uhrmacher, watchmaker.

8

Sprichwörter.

1. Reisen kostet Geld, doch sieht man die Welt.
2. Geld, Geld, Geld schreit die ganze Welt.
3. Die großen Diebe hängen die kleinen.
4. Mit Dieben fängt man Diebe.
5. Die großen Diebe hängt man, die kleinen läßt man laufen (*allows to escape*).
6. Neue Zeitungen liest man gern.
7. Die Uhr bleibt stehen, aber die Zeit nicht.
8. Vergeben (verzeihen) ist leichter als vergessen.

6. Hund[1] und Katze.[2]

Wenn zwei Menschen miteinander verheiratet (*married*) sind und oft streiten, so sagt man gern:

„Sie leben wie Hund und Katze.“

Aber Katze und Hund sind oft die besten Freunde, und darum ist dieses Sprichwort nicht immer 5 wahr. Ein Tierfreund erzählt zum Beispiel:

Ich hatte zu Hause eine Katze und einen Hund. Als[3] ich sie bekam, waren sie nur einige Wochen alt. Sie wuchsen heran, stritten nie und hatten einander lieb wie Bruder und Schwester. Beide 10 schliefen nahe am warmen Ofen,[4] der Hund in einem Korb,[5] die Katze in einem anderen.

---

[1] der Hund, dog.   [2] die Katze, cat.   [3] als, *conj.* when.
[4] der Ofen, stove, oven.   [5] der Korb, basket.

Eines Tages wurde die Katze Mutter. Ich gab
den jungen Kätzchen einen Korb und stellte[1] ihn
nahe an den Ofen. Den Korb des Hundes stellte
ich ein wenig weiter vom Ofen. Natürlich war
5 sein Platz nicht so warm wie der der Kätzchen. Der
Hund merkte es und wurde neidisch. Er bellte[2]
und sah neidisch nach dem Korbe der Kätzlein.

Zwei Wochen später, als die Mutter der Kätzchen
eines Tages nicht zu Hause war, ging der Hund an
10 den Korb der Kätzchen und trug eins nach dem an=
deren in seinen Korb. Dann legte er sich in den
Korb der Kätzchen und schlief ein. Als er ausge=
schlafen hatte, trug er die Kätzchen wieder an ihren
alten Platz zurück.

15 Die Mutter der Kätzlein kam nach Hause und
merkte sogleich, daß nicht alles in Ordnung war.
Sie roch[3] zuerst an[3] dem Korb der Kätzchen und dann
roch sie an ihren Kindern. Dann ging sie zu ihrem
Freund und gab ihm mit ihrer Pfote (*paw*) rechts
20 und links ein paar[4] Ohrfeigen (*box on the ear*).

Der Hund bellte nicht und biß[5] nicht. Er machte
ein saures Gesicht und kroch nur tiefer in den Korb
hinein. Die Ohrfeigen hat er wahrscheinlich nie
vergessen, aber er war und blieb ein Katzenfreund,
25 solange er lebte. Es war immer nett, sein Spiel
mit den Kätzchen anzusehen.

---

[1] stellen, place, put. [2] bellen, bark. [3] riechen (an + *dat.*)
smell (at). [4] das Paar, pair, couple; ein paar, a few. [5] bei=
ßen, bite.

Sprichwörter.

1. Bellende Hunde beißen nicht.
2. Kleine Hunde bellen auch.
3. Tote Hunde bellen nicht mehr.
4. Eine Katze hat neun (*nine*) Leben.
5. Katzen und Herren fallen immer auf die Füße.
6. Sie (er) ist falsch wie eine Katze.
7. Katzenmusik (= schlechte Musik).
8. Er liegt den ganzen Tag hinter dem Ofen (= er tut nichts, arbeitet nicht).
9. Im Winter steckt man das Geld in den Ofen.
10. Er ist der rechte Mann am rechten Platz.

7. Der neue Kalénder.

Das Gastzimmer[1] war noch ganz leer,[2] und es fing an, dunkel zu werden. Der dicke Wirt wollte gerade den Jungen rufen. Dieser sollte das Licht anzünden. In diesem Augenblick kam ein Mann in das Gastzimmer mit einer großen Büchertasche[3] unter dem Arm. Aber es war kein Gast, wie der Wirt gehofft hatte, und in der Büchertasche war kein einziges Buch.

[1] der Gast, guest + das Zimmer = das Gastzimmer, guest room. [2] leer, empty. [3] das Buch, book + die Tasche = die Büchertasche, satchel, brief case.

„Ich bin der Kaléndermann," sagte er. „Ich habe die schönsten neuen Kalénder. Wollen Sie nicht einen kaufen? Ich habe sechs kleine Kinder zu Hause und eine kranke[1] Frau. Heute habe ich
5 noch nichts verdient.[2] Geben Sie mir doch etwas zu verdienen.[2] Nur fünfzig (*fifty*) Pfennig kostet dieser schöne neue Kalender."

Der dicke Wirt wollte Ruhe haben, warf fünfzig Pfennig auf den Tisch, nahm den Kalender und
10 stellte ihn auf sein Pult.[3]

„Das ist fein," sagte der Mann; „ich danke[4] sehr, besten Dank![4] Nun geben Sie mir ein gutes, frisches Glas Bier. Eine Hand wäscht die andere." Mit diesen Worten gab er dem Wirt zehn (*ten*)
15 Pfennig zurück.

Der Wirt war böse, weil er aufstehen mußte, um das Bier selbst zu bringen. Indessen hatte der Mann sich an den Tisch gesetzt und fing an, vom Wetter zu erzählen. Das war dem Wirt zu viel. Er
20 rief seine Frau ins Gastzimmer und ging hinaus. Der Mann trank sein Bier und stellte das leere Glas auf den Tisch.

„Ach, gute Frau," begann der Mann, „ich bin der Kalendermann. Ich habe die schönsten neuen
25 Kalender. Wollen Sie nicht einen kaufen? Ich habe sechs kleine Kinder zu Hause und eine kranke

---

[1] krank, sick, ill. [2] verdienen, *here:* earn. [3] das Pult, desk.
[4] danken, thank; der Dank, thanks; besten *or* vielen *or* schönen Dank, many thanks.

Frau. Heute habe ich noch nichts verkauft. Geben
Sie mir doch etwas zu verdienen. Nur fünfzig
Pfennig kostet dieser schöne neue Kalender."

Die Frau hatte ein goldenes Herz. „Wieviele
Kinder sagten Sie?"   5

„Sechs, und außerdem eine kranke Frau," war
die Antwort.

„Dann geben Sie mir zwei," sagte die Frau.

„Nun muß ich aber schnell nach Hause gehen,"
sprach der Mann, „danke sehr, gute Frau Wirtin,[1] 10
schönen Dank, Frau Wirtin, und guten Abend!"
Der Mann eilte hinaus.

Bald kam der Wirt wieder ins Gastzimmer und
sah, daß die Frau den neuen Kalender las.

„Ich sehe, du hast den neuen Kalender schon 15
gefunden."

„Gefunden?"

„Ja, ich hatte ihn auf mein Pult gestellt."

„Ich habe nichts gefunden. Ich habe ihn ge=
kauft und für dich auch einen. Hier ist er."   20

„Was sagst du? Dieser Dieb, dieser freche (*bold,
impudent*) Kerl!"[2] Damit rief der Wirt schon
den Jungen.

„Lauf schnell," sagte er, „folge dem frechen
Kerl mit der großen Büchertasche unter dem Arm. 25
Er soll zurückkommen. Ich muß ihm noch etwas
sagen."

---

[1] die Wirtin, innkeeper's wife; Frau Wirtin, Mrs. Innkeeper. [2] der Kerl, fellow.

Der Junge lief so schnell, wie er konnte. An der nächsten Ecke schon stand er vor dem frechen Kerl mit der Büchertasche unter dem Arm.

„Sie sollen noch einmal zu dem Wirt kommen. 5 Er will Ihnen etwas sagen.“

„O, ich weiß schon, was er will. Hast du Geld bei dir?“[1]

„Ja,“ sagte der Junge und schlug auf seine Geld= tasche.

10 „Dann brauche ich gar nicht zurückzugehen. Der Wirt will noch einen Kalender kaufen.“

„Was kostet er?“

„Nur fünfzig Pfennig.“

Der Mann gab dem Jungen noch einen Kalender, 15 der Junge gab ihm das Geld, und der freche Kerl eilte die Straße entlang.

So geht's im Leben.

Sprichwörter.

1. Ein Gast sieht mehr in einer Stunde als der Herr im ganzen Jahr.

2. Den Gast soll man ehren.

3. Wie der Wirt, so die Gäste.

[1] bei dir, with you.

8. Drei Ohrfeigen und keine Schuld.[1]

Vor unserer Schule stand jeden Morgen ein Milchwagen mit einem kleinen Esel. Meine Mitschüler[2] ärgerten[3] das arme Tierchen jeden Tag. Die Lehrer[4] hatten dieses schon oft verboten, und der gute Milchmann hatte schon mehrere Male bei dem Direktor und den Lehrern geklagt. Aber es half alles nichts. Die Jungen faßten[5] das Eselchen bei den langen Ohren und versuchten, es fortzuziehen. Dann schrie das Eselchen „J...a", und auf einmal kam der gute Milchmann gelaufen. Die Jungen rannten lachend und schreiend nach allen Seiten. Sie liefen schneller als der alte Mann, und dieser konnte sie nicht fangen. Das ärgerte ihn noch mehr.

Ich war damals[6] ein Junge von kaum zehn Jahren. Eines Morgens stand ich auf der Straße und sah, wie die Schüler das Tier ärgerten. Da kam der alte Milchmann gelaufen. Meine Mitschüler liefen fort, ich aber blieb ruhig stehen, denn ich hatte keine Schuld.

Der Milchmann stand vor mir. Er war so böse, daß er kein Wort sprechen konnte. Ich sagte ihm, was geschehen war, aber er wollte nicht glauben,

---

[1] die Schuld, guilt, blame. [2] der Schüler, pupil; der Mitschüler, fellow pupil, schoolmate, classmate. [3] ärgern, vex, irritate, tease. [4] der Lehrer, teacher. [5] fassen, seize, take hold of. [6] damals, then, at that time.

15

daß ich keine Schuld hatte und gab mir eine harte Ohrfeige.

Ich schrie, eilte in das Schulgebäude[1] und wollte beim Direktor über den Milchmann klagen. Da ich
5 schnell lief, rannte ich gegen den Doktor Wegener, meinen Klassenlehrer. Er kam gerade aus dem Lehrerzimmer und trug einen Haufen[2] von Büchern und Heften[3] auf dem Arm. Der ganze hohe Haufen von Heften fiel auf die Erde. Da gab mir der freche
10 Kerl, ich meine der gute Dr. Wegener, die zweite Ohrfeige. Die war ebenso gut wie die erste, und immer noch war ich ohne Schuld.

Natürlich schrie ich noch lauter. Mein lautes Schreien[4] rief den Direktor herbei. Dieser war ge=
15 rade in demselben[5] Gebäude. Er faßte mich beim Arm und fragte:

„Was fehlt dir denn? Warum schreist du so?“ Ich antwortete:

„Der Herr Dr. Wegener hat mir eine Ohrfeige
20 gegeben, und ich hatte dem Esel doch gar nichts getan.“

Da gab mir der freche Kerl, ich meine der gute Herr Direktor, die dritte Ohrfeige, und er sagte streng:

„Ich will dich lehren, deinen Klassenlehrer zu
25 ehren und zu achten.“

---

[1] die Schule + das Gebäude, building = das Schulgebäude, schoolhouse *or* building. [2] der Haufe(n), heap, pile. [3] das Heft, notebook. [4] das Schreien, crying, screaming, bawling. [5] der=, die=, dasselbe, the same.

So bekam ich damals drei Ohrfeigen ohne meine Schuld.

Diese Geschichte erzählte einmal ein berühmter[1] Arzt[2] aus der Zeit seiner Jugend.[3]

Sprichwörter.

1. Auf Schuld folgt Strafe.
2. Keiner ist ohne Schuld.
3. Jeder muß sein eigener Lehrer sein.
4. Wer eilt, kommt oft zuletzt.
5. Nicht für die Schule, für das Leben lernen wir.
6. Wer als Esel geboren wird, der lebt als Esel und stirbt als Esel.
7. Nicht alle Esel haben vier Beine.

9. Doktor Allwissend.[4]

Es war einmal[5] ein armer Bauer. Der Bauer hieß Krebs. Dieser fuhr[6] mit zwei Ochsen einen Wagen mit Holz in die Stadt und verkaufte das Holz für zwei Taler an einen berühmten Arzt. Als er nun das Geld bekam, saß der Arzt gerade 5 beim Mittagessen. Da sah der Bauer, daß der Arzt

---

[1] berühmt, famous. [2] der Arzt = der Doktor, physician.
[3] die Jugend, youth. [4] allwissend, omniscient, know-it-all.
[5] es war einmal, once (upon a time) there was. [6] fahren, ride, drive; go.

recht gut aß und trank, und er dachte bei sich:
„Ich will auch ein Doktor werden." Er blieb noch
einen Augenblick stehen und fragte endlich: „Kann
ich auch ein Doktor werden?"

5 „Ja," sagte der berühmte Arzt, „nichts ist leichter
als das. Erstens,[1] kaufe dir ein Abcbuch,[2] eins mit
einem Hahn[3] auf der ersten Seite. Zweitens,[1] ver=
kaufe deinen Wagen und deine zwei Ochsen und
kaufe dir schöne Kleider. Drittens,[1] laß dir ein
10 Schild malen[4] mit den Worten: ‚Ich bin der Dok=
tor Allwissend,' und laß es über deine Haustür
hängen."

Der Bauer tat alles, wie es befohlen war; er
kaufte sich ein Abcbuch mit einem Hahn auf der
15 ersten Seite; er verkaufte seinen Wagen und seine
zwei Ochsen und kaufte schöne Kleider; er ließ
sich ein Schild malen mit den Worten: „Ich bin
der Doktor Allwissend."

Als er nun ein wenig Doktor gespielt hatte, aber
20 noch nicht viel, stahlen[5] freche Diebe viel Geld von
einem reichen[6] Herrn. Freunde erzählten dem
Herrn:

„Der berühmte Doktor Allwissend wohnt nicht
weit von hier in einem kleinen Dorfe. Er weiß ge=
25 wiß, wer das Geld gestohlen hat und wo das ge=
stohlene Geld ist."

---

[1] erstens, firstly; zweitens, secondly; drittens, thirdly.
[2] das Abcbuch, spelling book. [3] der Hahn, rooster. [4] malen,
paint. [5] stehlen, steal. [6] reich, rich.

Der reiche Herr ließ seinen Wagen kommen und fuhr hinaus ins Dorf. Er fand den Bauer und fragte ihn:

„Bist du der Doktor Allwissend?"

„Ja, der bin ich." 5

„Dann komm mit und suche das gestohlene Geld."

„Ja, aber die Grete, meine Frau, muß mitkommen," sprach der Bauer.

Der Herr war damit zufrieden, ließ beide in seinem Wagen sitzen und fuhr mit ihnen zusammen 10 fort. Als sie nun auf das Gut[1] des reichen Herrn gekommen waren, war der Tisch schon gedeckt,[2] und da sollte der Bauer mitessen. „Ja, aber meine Frau, die Grete auch," sagte er wieder und setzte sich an den Tisch. Als der erste Diener nun mit einer 15 großen Schüssel (*dish*) voll von gutem Essen kam, sagte er:

„Grete, das ist der erste."

Er meinte: „Das ist der erste Diener," aber der Diener verstand: „Das ist der erste Dieb." Und 20 weil er wirklich einer der Diebe war, so hatte er Angst[3] und sagte den anderen Dienern: „Der Doktor weiß alles."

Der zweite wollte gar nicht hereinkommen, aber er mußte. Als er nun mit seiner Schüssel herein= 25 kam, sagte der Bauer:

[1] das Gut, estate. [2] gedeckt, *here:* set. [3] die Angst, anxiety, concern; fear.

„Grete, das ist der zweite."

Der Diener hatte ebenso große Angst wie der erste und eilte hinaus. Dem dritten ging es nicht besser, denn der Bauer sagte wieder:

5 „Grete, das ist der dritte."

Der vierte mußte eine große verdeckte (*covered*) Schüssel hereintragen, und der Herr sprach zu dem Doktor Allwissend:

„Zeige deine Kunst und sage mir, was auf der 10 verdeckten Schüssel liegt."

Auf der verdeckten Schüssel aber lagen Krebse (*crabs*), und da[1] der arme Bauer nicht wußte, was er sagen sollte, und sein Name Krebs war, sagte er:

15 „Ach, ich armer Krebs."

Als der reiche Herr das hörte, rief er:

„Du weißt alles, und du weißt gewiß auch den Ort,[2] wo das Geld liegt."

Der Diener aber hatte große Angst und gab 20 dem Doktor ein Zeichen, einmal herauszukommen. Wie er nun hinauskam, sagten ihm die Diener:

„Wir haben das Geld gestohlen. Wir wollen es gern zurückgeben und noch einen Haufen Geld außerdem, wenn du nichts sagst." Sie führten ihn 25 an den Ort, wo das Geld lag. Damit war der Doktor zufrieden. Er ging wieder hinein und sprach:

[1] da, *conj.* since.   [2] der Ort, place.

„Herr, nun will ich in meinem Buch suchen, wo
das Geld ist."

Der fünfte Diener kroch in den Ofen, denn er
wollte hören, ob der Doktor noch mehr wußte.
Dieser aber öffnete sein Abcbuch, suchte hin und 5
her und fand den Hahn. Da er ihn nicht sogleich
finden konnte, sprach er:

„Du bist darin und mußt heraus."

Da glaubte der Diener im Ofen, daß er selbst
gemeint war. Er sprang heraus und rief: „Der 10
Mann weiß alles."

Nun zeigte der Doktor Allwissend dem Herrn des
Gutes den Ort, wo das Geld lag. Er sagte aber
nicht, wer es gestohlen hatte. Er bekam von beiden
Seiten viel Geld und wurde ein reicher und be= 15
rühmter Mann.

10. Das Milchmädchen.

Ein Milchmädchen trug eine große Kanne (can)
Milch[1] auf dem Kopf von ihrem Dorf in die nächste
Stadt. Auf dem Wege dachte sie:

„Auf dem Kopf trage ich viel gute Milch. Für 20
die Milch bekomme ich Geld genug, um hundert
Eier[2] zu kaufen. Die Eier trage ich nach Hause

[1] eine Kanne Milch, a can of milk. [2] das Ei, egg.

21

und setze die Hennen[1] darauf.   Dann werden aus
den Eiern etwa[2] neunzig (*ninety*) Hühner[3] und
viele Hähne.   Die Hühner und Hähne verkaufe ich
auf dem Markt.   Auf dem Markt verdiene ich ge=
5 nug Geld, um ein kleines Schwein zu kaufen.   Das
Schweinchen wächst heran und wird ein großes,
rundes,[4] fettes Schwein.   Das Schwein verkaufe ich
auf dem Markt, und mit dem Gelde kaufe ich eine
gute Kuh.[5]   Es wird nicht lange dauern, und die
10 Kuh bekommt ein Kalb,[6] ein nettes Kälbchen.   O,
ich sehe schon, wie das Kälbchen springt."

Vor Freude[7] sprang das Milchmädchen, die
Kanne Milch fiel von ihrem Kopf, und auf der
Erde lagen nun etwa hundert Eier, etwa neunzig
15 Hühner und viele Hähne, ein fettes, rundes
Schwein, eine Kuh und ein nettes Kälbchen.

So geht's.

Sprichwörter.

1. Was man hofft, glaubt man gern.

2. Der Mensch hofft, solange er lebt.

3. Geld verloren, nichts verloren; Mut (*courage*)
verloren, viel verloren; Ehre verloren, alles ver=
loren.

---

[1] die Henne, hen.   [2] etwa, about, approximately; perhaps.
[3] das Huhn, chicken.   [4] rund, round.   [5] die Kuh, cow.   [6] das
Kalb, calf.   [7] vor Freude, with (for) joy.

11. Der berühmte Maler.[1]

Es war einmal ein berühmter Maler. Dieser lebte auf einem herrlichen Gute nicht weit von einer großen Stadt. Seine Kunst hatte ihn noch während der Jugend berühmt und reich gemacht, aber er war nicht zufrieden. Eines Tages faßte[2] er den Plan,[2] ein vollkommen[3] fehlerloses[4] Bild[5] zu malen. Das Bild sollte vollkommener und fehlerloser werden als alles, was er bis zu diesem Tage gemalt hatte. Nun arbeitete er Tag und Nacht, um ein vollkommenes Bild zu malen. Endlich war er fertig.

Früh am Morgen fuhr er in die Stadt und stellte das Bild auf den Marktplatz. Dann malte er ein Schild und hängte es über das Bild. Auf dem Schild standen die Worte:

„Ich brauche das Urteil[6] der Menschen. Bitte, nehmen Sie einen Bleistift[7] und machen Sie einen Strich,[8] wo Sie einen Fehler finden."

Nun kamen die Leute in großen Mengen auf den Marktplatz und taten, was der Maler gewünscht hatte. Als der Maler am Abend desselben Tages kam, um sein Bild zu holen,[9] war er sehr erstaunt.

---

[1] der Maler, painter. [2] einen Plan fassen, make a plan, resolve. [3] vollkommen, complete(ly), perfect(ly). [4] —los, *suffix* -less; fehlerlos, faultless(ly). [5] das Bild, picture. [6] das Urteil, judgment; criticism. [7] der Bleistift, pencil. [8] der Strich, line. [9] holen, fetch, go and get.

Die Leute hatten einen Strich an jeden Zug[1] des
Gesichtes und an jede Falte[2] des Mantels gemacht.

Aber der Maler war ein wirklicher Meister.[3]
Er wußte, daß es ebenso wenig ein fehlerloses
Urteil gibt wie ein vollkommenes Bild. Darum
faßte er den Plan, einen zweiten Versuch zu machen. Am nächsten Tage fuhr der Meister wieder
in die Stadt. Wieder stellte er dasselbe Bild auf
den Marktplatz, malte ein Schild und hängte es
über das Bild. Dieses Mal schrieb er die Worte:

„Ich brauche das Urteil der Menschen. Bitte,
nehmen Sie einen Bleistift und machen Sie einen
Strich, wo Sie das Bild fehlerlos und vollkommen
finden."

Die Leute kamen in großen Mengen gelaufen und
taten, was der Maler gewünscht hatte. Als der
Meister am Abend desselben Tages auf den Markt-
platz kam, um sein Bild zu holen, war er erstaunt.
Die Leute hatten einen Strich an jeden Zug des
Gesichtes und an jede Falte des Mantels gemacht.
Gestern hatten sie nichts als Fehler gefunden.
Heute hatten sie sein Bild vollkommen und fehler-
los genannt.

---

[1] der Zug, train; procession; *here:* feature. [2] die Falte,
fold, crease, wrinkle. [3] der Meister, master.

12. Die weise Großmutter.

Vor langer Zeit gab es noch keine Eisenbahnen.[1] Damals reiste man nicht mit der Eisenbahn, son= dern mit Pferden und Wagen. Eine kurze Reise von der einen Stadt in die andere dauerte nicht selten[2] mehrere Tage und Nächte. Die großen 5 Landstraßen[3] waren schlecht und selten sicher.[4] Freche Diebe lagen damals noch an den Straßen, und oft kam es zu bitteren Kämpfen. Mancher kehrte von einer Reise nie nach Hause zurück.

Eine alte Großmutter reiste einmal im Post= 10 wagen[5] von Hamburg nach Berlin. Es war im Winter, das Wetter war kalt, ein scharfer Wind blies aus dem Norden. Schnee und Eis lagen auf den Landstraßen. Nur langsam ging die Reise weiter. Mehrere Male mußten einige der Reisen= 15 den[6] aus dem Postwagen steigen, um Schnee und Eis an die Seite des Weges zu werfen und so die weitere Reise möglich zu machen. Nach mehreren Tagen kamen die Reisenden ihrem Ziele[7] endlich näher. Es war spät am Abend, als man in der 20 Ferne[8] die ersten Lichter von Berlin sah. In weni= gen Stunden mußte man am Ziel sein.

---

[1] die Eisenbahn, railroad. [2] selten, seldom, rare. [3] die Landstraße, main road, highway. [4] sicher, safe, secure. [5] die Post, post, mail; der Postwagen, mail coach, stagecoach. [6] der Reisende, traveler. [7] das Ziel, aim, goal, destination. [8] die Ferne, distance; fern, far, distant.

Die Reisenden hatten so gut, wie es ging, auf ihren Sitzen geschlafen. Nun blies der Kutscher (*coachman*) sein Horn zum Zeichen, daß man nicht fern[1] vom Ziel war. Die Reisenden wachten 5 auf und begannen, nach ihren Reisetaschen zu sehen. Sie freuten sich, fast[2] am Ziel zu sein. Nun fingen sie an, von ihren früheren Reisen zu erzählen. Ein Herr erzählte:

„Mein Vater fuhr vor vielen Jahren einmal 10 von Hamburg nach Berlin. Nah bei Berlin, als er fast am Ziel war, kamen Diebe und Räuber,[3] überfielen[4] den Postwagen und beraubten[3] die Reisenden. Mein Vater verlor alles bis auf den letzten Pfennig."[5]

15 Ein anderer Herr berichtete fast dieselbe Geschichte von seinem eigenen Bruder. Durch solche Erzählungen[6] während der dunklen Nacht auf der wenig sicheren Landstraße wurden die Reisenden unruhig. Ein Herr, wahrscheinlich ein Geschäfts= 20 mann, sagte:

„Ist es wirklich wahr, daß man die Postwagen meistens[7] oder fast immer nicht weit von großen Städten überfällt und beraubt? Wir sind nahe bei Berlin. Was, um Gottes willen, sollen wir an=

---

[1] See note 8, page 25. [2] fast, almost, nearly. [3] der Räu=
ber, robber; rauben, rob; berauben, rob, deprive of. [4] über=
fallen, attack suddenly. [5] bis auf den letzten Pfennig, down
to the last penny. [6] die Erzählung, tale, narration; short
story. [7] meist, most; meistens, mostly.

fangen, wenn Diebe und Räuber uns jetzt über=
fallen und berauben? Ich habe keine Waffe[1] bei
mir und mehr als hundert Taler in Gold. Was
soll aus meinem Gelde werden?"

„Das weiß nur Gott allein," lachte einer der
Herren, „aber wenn man uns überfällt und beraubt,
dann wissen es außerdem noch die Räuber."

Mit solchen Geschichten und Erzählungen war
es eine halbe Stunde später geworden, als der
Postwagen auf einmal hielt. Auf der Landstraße
hörte man laute Stimmen. Im nächsten Augen=
blick riß ein Mann die Tür auf. Der Mann war
klein, aber breit[2] und stark. Er war etwa dreißig
(*thirty*) Jahre alt, trug einen schwarzen Hut und
einen schweren, braunen Mantel. Er hielt eine
Latérne (*lantern*) in der linken Hand und in der
rechten seine Waffe, eine lange Pistole. Er befahl
mit Donnerstimme:

„Gold, Geld, Ringe und Uhren, alles!"

Die Reisenden erschraken so sehr, daß sie den
Räuber gar nicht einmal verstanden. Aber kaum
hatte der Dieb die Worte gesprochen, als die alte
Dame ganz ruhig ihre Geldtasche herausnahm
und sie dem Räuber reichte.[3] Die meisten anderen
Reisenden folgten ihrem Beispiel und reichten
dem Räuber ihre Ringe, ihre Uhren oder ihr Geld.

---

[1] die Waffe, weapon.   [2] breit, broad, wide.   [3] reichen,
reach, hand to.

27

Aber der Räuber war nicht zufrieden. Er hielt
seine Waffe, die lange Pistole, auf die Brust des
Geschäftsmannes und schrie:

„Ihr Geld oder Ihr Leben. Eines gehört[1]
5 mir! Wählen[2] Sie!"

Nun geschah etwas, was niemand erwartet[3]
hatte. Die alte Dame zeigte[4] auf[4] den Geschäfts=
mann und sprach zu dem Räuber:

„Dieser Mann hat hundert Taler in Gold in der
10 Tasche!"

Der Mann erschrak, aber es half alles nichts.
Mit blassem[5] Gesicht reichte der Mann dem Räu=
ber sein Geld. Die anderen erschraken und taten
dasselbe. Der Räuber sammelte das Geld, die
15 Uhren und Ringe in einen Sack, dankte bestens,
wünschte gute Reise, und fort war er.

Der Geschäftsmann, noch immer mit blassem
Gesicht, wandte sich zu der alten Dame und fragte:

„Sind Sie vielleicht die Großmutter des Räu=
20 bers?"

Die alte Dame lächelte,[6] nahm zweihundert Taler
aus ihrer Reisetasche und reichte sie dem Manne
mit den Worten:

„Diese zweihundert Taler gehören Ihnen. Sie
25 haben jeden Pfennig selbst verdient. Ich trage
in dieser Tasche mehr als tausend Taler. Diese

---

[1] gehören, belong to.   [2] wählen, choose, select.   [3] erwarten,
await, expect.   [4] zeigen (auf + *acc.*), point (to).   [5] blaß, pale,
pallid.   [6] lächeln, smile.

28

wollte ich retten.[1] Um sie zu retten, mußte ich
das Vertrauen[2] des Räubers gewinnen.[3] Ich ge=
wann sein Vertrauen, als ich ihm meine Geld=
tasche reichte. Aber als er die Pistole auf Ihre
Brust hielt, wußte ich, daß ich wählen mußte 5
zwischen Ihren hundert Talern und meinen tau=
send. Ich wählte meine tausend und gewinne
nicht weniger als achthundert Taler bei diesem
Geschäft. Ich danke Ihnen bestens."

Der Mann wollte das Geld der alten Dame nicht 10
nehmen, aber sie bewies ihm ganz klar, daß sie nur
durch seine hundert Taler ihr eigenes Geld gerettet
hatte.

So steckte er das Geld endlich mit Dank und Be=
wunderung[4] in seine Tasche. Die anderen Reisen= 15
den aber hatten die gute Absicht, bei dem nächsten
Überfall[5] ebenso tapfer und ruhig zu sein wie diese
weise Großmutter.

13. Kannitverstan.

Die meisten Menschen kommen durch Irrtum[6]
zur Wahrheit. Es ist natürlich, sich zu irren.[6] 20
Ohne Irrtum kommen wir armen Menschen selten
oder nie zur Wahrheit.

---

[1] retten, save. [2] das Vertrauen, trust, confidence. [3] ge=
winnen, win, gain. [4] die Bewunderung, admiration; bewun=
dern, admire. [5] der Überfall, sudden attack. [6] der Irrtum,
error, mistake; irren, err; sich irren, be mistaken.

Ein deutscher Handwerksbursche[1] kam vor vielen
Jahren einmal nach Amsterdam. Als er in diese
große und reiche Stadt kam, bewunderte[2] er die
herrlichen Gebäude und die großen Schiffe. So-
5 gleich am ersten Tage sah er ein so schönes Gebäude,
wie er nie eins im Leben gesehen hatte. Lange
blieb er stehen und bewunderte die hohen Türme
und Dächer,[3] die schönen Gärten, Bäume und Blumen[4] und alles, was er sah. Endlich wandte er
10 sich zu einem Herrn und fragte:

„Verzeihen Sie. Wem gehört dieses herrliche
Haus mit den hohen Bäumen, Dächern und Türmen, den schönen Gärten und Blumen?"

Der Herr hatte wichtige Geschäfte und verstand
15 von der deutschen Sprache[5] ebensowenig, wie der
Handwerksbursche von der holländischen Sprache
verstand, das heißt, kein einziges Wort. Darum
lächelte er, antwortete kurz: „Kannitverstan," und
eilte weiter.

20 „Kannitverstan" ist ein holländisches Wort oder
drei, wenn man es recht ansieht, und heißt auf
deutsch so viel wie: „Ich kann nicht verstehen."
Aber der gute Handwerksbursche dachte: „Das
schöne Gebäude gehört dem Herrn Kannitverstan.
25 Welch ein reicher Mann er sein muß, dieser Herr
Kannitverstan!"

---

[1] der Handwerksbursche, traveling artisan. [2] See note 4,
page 29. [3] das Dach, roof. [4] die Blume, flower. [5] die
Sprache, language.

Er ging weiter durch viele lange Straßen und
kam endlich an den Hafen[1] und das Meer.[2]   In
dem Hafen lag Schiff an Schiff und Mastbaum (*mast*)
an Mastbaum.   Er wußte kaum, wie er mit sei=
nen zwei Augen genug sehen konnte.   Am Ende 5
sah er ein großes Schiff.   Es war vor wenigen Ta=
gen aus einem fremden Lande über das Meer ge=
kommen.   Gerade trugen Arbeiter die Waren ans
Land.   Schon standen viele Reihen[3] von Kästen,[4]
Ballen (*bales*) und Fässern[5] nebeneinander am 10
Land, Reihe an Reihe, Kasten an Kasten, Ballen
an Ballen, Faß an Faß.   Diese waren alle voll
Zucker,[6] Kaffee, Tee und vielen anderen Waren.
Als er nun lange angesehen hatte, wie man Kästen,
Fässer und Ballen voll Zucker, Tee und anderen 15
Waren ans Land trug und in lange Reihen stellte,
fragte er einen der Arbeiter:

„Für wen bringt das Meer diese guten Waren in
den sicheren Hafen?   Wem gehört dieses Schiff?"

Der Arbeiter verstand nichts von der deutschen 20
Sprache, lächelte und sagte kurz: „Kannitverstan."
Da dachte der gute Handwerksbursch bei sich:

„Jetzt verstehe ich alles.   Nun wundere ich mich
nicht mehr.   Das Meer trägt große Reichtümer[7]
in diesen Hafen, und Herr Kannitverstan kann leicht 25

[1] der Hafen, harbor, port.   [2] das Meer, sea, ocean.   [3] die
Reihe, row, rank.   [4] der Kasten, chest, box.   [5] das Faß, barrel, cask.   [6] der Zucker, sugar; voll Zucker, full of sugar.
[7] der Reichtum, riches, wealth.

31

herrliche Gebäude in die Welt setzen mit hohen
Türmen und Dächern und wunderschönen Gärten
und Blumen."

Nun ging er wieder ein wenig in die Stadt
5 zurück, und auf dem Wege dachte er bei sich:

„Welch ein armer Mensch ich bin unter so vielen
reichen Leuten in der Welt! Nie werde ich so reich
und glücklich werden wie der Herr Kannitverstan."

Kaum hatte er dies gedacht, da kam ein langer
10 Leichenzug[1] um die Ecke. Vier schwarze Pferde
mit schwarzen Decken auf dem Rücken, über dem
Kopf und vor der Brust zogen einen Leichenwagen.[2]
Die Pferde bewegten sich langsam und traurig.
Vielleicht fühlten sie, daß sie einen Toten[3] zur letzten
15 Ruhe brachten. Ein langer Zug von Freunden und
Verwandten[4] des Toten folgte dem Leichenwagen,
Paar nach Paar, alle in schwarzen Mänteln. In
der Ferne hörte man eine einsame[5] Glocke.[6] Der
Handwerksbursche wurde sehr traurig und einsam,
20 wie alle guten Menschen traurig und einsam werden,
wenn sie einen Leichenzug sehen. Mit dem Hut
in der Hand blieb er stehen, bis das letzte Paar des
Zuges vorüber[7] war. Dann wandte er sich zu
einem Mann, faßte ihn beim Arm und fragte:

[1] die Leiche, corpse + der Zug, *here:* procession = der Lei=
chenzug, funeral procession.   [2] der Leichenwagen, hearse.   [3] der
Tote, dead person.   [4] verwandt, related; der Verwandte, relative.   [5] einsam, lonesome, solitary.   [6] die Glocke, bell.   [7] vor=
über, past, over.

32

„Verzeihen Sie; für wen ist die einsame Glocke,
und wer ist der Tote?"

„Kannitverstan," war die kurze Antwort. Da
fielen ein paar große Tränen[1] aus den Augen des
guten Handwerksburschen.   5

„Armer Kannitverstan," dachte er bei sich. „Was
hast du nun von all deinem Reichtum? Nicht
mehr als ich: ein Totenkleid und von all deinen
herrlichen Blumen vielleicht eine Rose auf der kalten
Brust."   10

So dachte und fühlte er, als er dem Leichenzug
bis zum Grabe folgte. Er sah das Grab und den
Sarg. Er sah den Sarg in die schwarze Erde
sinken[2] zur letzten Ruhe. Von der Predigt[3] am
Grabe verstand er kein Wort, aber er war tief   15
gerührt,[4] mehr gerührt als von mancher deutschen
Predigt.

Als alles vorüber war, ging er fort. In einem
kleinen Wirtshaus aß er mit gutem Appetit ein
Stück Käse mit Brot und Butter und trank ein Glas 20
Bier. Und wenn er einmal wieder klagen wollte,
daß viele Leute in der Welt so reich waren und er
so arm, dann dachte er an den Herrn Kannitverstan
in Amsterdam, an sein herrliches Haus, sein reiches
Schiff und sein dunkles Grab.   25

[1] die Träne, tear. [2] sinken, sink. [3] die Predigt, sermon.
[4] rühren, stir, move.

Sprichwörter.

1. Über das Meer führt keine Brücke.

2. Das Meer lehrt beten.

3. Er hängt alles an die große Glocke (= er ruht nicht, bis alle es wissen).

4. Die kurzen Predigten sind die besten Predigten.

5. Arm und reich, im Tode gleich.

14. Friedrich Schleiermacher.

Friedrich Schleiermacher war vor mehr als hundert Jahren ein außerordentlich[1] berühmter Theologe[2] und Prediger.[3] Er war Professor der Theologie an der Universität Berlin. Jeden Sonn-
5 tag predigte[3] er vor einer großen Gemeinde.[4] Seine Predigten waren in ganz Deutschland berühmt.

Ein Freund Schleiermachers sagte diesem einmal, wie sehr die Gemeinde ihn achtete und ehrte, und er
10 lobte[5] ihn als einen der besten Prediger in ganz Deutschland.

„Ich bin gerührt durch deine freundlichen Worte,"

---

[1] außerordentlich, extraordinary, extraordinarily. [2] der Theologe, theologian; die Theologie, theology, divinity. [3] der Prediger, preacher; predigen, preach. [4] die Gemeinde, parish, congregation. [5] loben, praise, laud; das Lob, praise.

34

antwortete er mit einem freundlichen Lächeln.[1] „Aber lobe mich nicht, denn ich verdiene kein Lob.[2] Ich genieße[3] das große Glück, eine außerordentlich gute Gemeinde zu haben. Ich genieße ihr volles Vertrauen. Die Leute sind treu und gehen jeden Sonntag in die Kirche. Aber nicht alle gehören zu meiner Gemeinde. Drei Klassen von Leuten kommen in meine Kirche: Studénten, junge Damen und Offiziere. Die Studénten wollen meine Predigten wirklich hören. Sie studieren Theologie und wollen lernen,[4] später einmal selbst zu lehren und zu predigen. Die jungen Damen wollen weder[5] lernen noch[5] lehren noch predigen. Sie sind einsam und wollen die Studenten bewundern. Die Offiziere endlich kommen und bewundern die jungen Damen. Nun siehst du, warum du mich nicht loben darfst."

Sprichwörter.

1. Man kann nie genug lernen.
2. Lerne viel, sage wenig, höre alles.
3. Lerne in der Jugend.
4. Lerne viel, daß du viel vergessen kannst.
5. Was Hänschen nicht lernt, lernt Hans nimmermehr (nie).

---

[1] das Lächeln, smile. [2] See note 5, page 34. [3] genießen, enjoy. [4] lernen, learn. [5] weder ... noch, neither ... nor.

6. Wer nichts lernt, bleibt dumm.

7. Was man gern lernt, lernt man leicht.

8. Anderer Leute Fehler sind gute Lehrer.

9. Lob macht den Guten besser, den Bösen böser.

10. Nicht jedes Lob ist ein Lob.

15. Der kluge[1] Bauer.

Ein Dieb kam eines Tages auf einen Bauernhof.[2] Der Bauer war ins Dorf gefahren. Der Dieb fand die Tür des Pferdestalles[3] offen, ging hinein und führte das beste Pferd aus dem Stalle.[3] Ein wenig
5 später kam der Bauer nach Hause und klagte, weil man sein Pferd gestohlen hatte. Er suchte in den Ställen seiner Nachbarn,[4] aber sein Pferd fand er nicht.

Nach einigen Tagen reiste der Bauer schweren
10 Herzens[5] viele Stunden lang zu einem berühmten Pferdemarkt, um ein anderes Pferd zu kaufen. Und der Bauer hatte Glück, mehr Glück, als er erwartet hatte. Unter den Pferden auf dem Markte sah er sein eigenes. Ein Fremder[6] wollte es ge=

---

[1] klug, intelligent, wise, prudent. [2] der Bauernhof, farm. [3] das Pferd + der Stall, stable = der Pferdestall, stable. [4] der Nachbar, neighbor. [5] schweren Herzens, reluctantly, with a heavy heart. [6] der Fremde, stranger.

36

rade verkaufen. Er faßte den Fremden beim Arm und rief:

„Dieses Pferd gehört mir. Ein Dieb hat es vor einigen Tagen aus meinem Stall geführt. Meine Nachbarn haben es genau[1] gesehen." 5

Der Fremde antwortete mit leiser Stimme:

„Bitte, mein Freund, schreien Sie nicht so laut. Sie irren sich natürlich. Ich habe dieses Tier schon seit einem Jahr. Das Pferd ist dem Ihren vielleicht ähnlich,[2] das mag sein. Aber wie es auch 10 sein mag, es gehört mir."

„Nein," sprach der Bauer, „das Tier ist meinem Pferd nicht nur ähnlich, sondern es ist genau so wie mein Pferd, weil es mein Pferd ist."

Der Bauer war klug, außerordentlich klug sogar, 15 wie wir sogleich merken werden. Er sprach weiter:

„Wenn Sie das Tier schon seit einem Jahr haben, so können Sie mir sicher genau sagen, auf[3] welchem Auge es blind[3] ist, auf dem rechten oder dem linken?" 20

Mit diesen Worten hatte der Bauer seinen Mantel über den Kopf des Pferdes geworfen.

Da der Fremde das Pferd nun wirklich aus des Bauers Stall geführt hatte und der Dieb war, so erschrak er und wurde blaß. Er mußte etwas sa= 25 gen und antwortete:

---

[1] genau, exact(ly), accurate(ly), precise(ly).   [2] ähnlich, similar, resembling.   [3] blind (auf + *dat.*), blind (in).

„Ich erinnere[1] mich genau; auf dem linken Auge ist es blind."

„Falsch, ganz falsch," rief der Bauer und bevor er noch etwas sagen konnte, rief der Fremde:

5 „Es tut mir leid; ich habe mich geirrt. Nun erinnere ich mich genau, daß es auf dem rechten Auge blind ist."

Nun waren viele Nachbarn zu dem Bauer und dem Fremden getreten und hatten jedes Wort 10 ihres Streites gehört. Der kluge Bauer aber nahm seinen Mantel ganz ruhig von dem Kopf des Pferdes und rief mit lauter Stimme:

„Nun seht Ihr klar und genau, daß dieser freche Kerl ein Dieb und ein Räuber ist. Mein Pferd ist 15 auf keinem Auge blind, weder auf dem linken noch auf dem rechten. Ich fragte den dummen Kerl nur, um Euch zu zeigen, was er wirklich ist."

Die Bauern aber nahmen den Dieb in ihr Mitte. Jeder gab ihm rechts und links ein paar kräftige[2] 20 Ohrfeigen, und als das geschehen war, riefen sie die Polizei.[3] Die Polizei war froh, den Dieb endlich gefangen zu haben, und lobte die Weisheit des klugen Bauers.

Der Dieb wird sich der kräftigen Ohrfeigen noch 25 lange erinnern.[1] Vielleicht hat er nie mehr versucht, ein Pferd zu stehlen.

[1] sich erinnern + *gen.*, remember; er erinnert sich der Ohrfeigen, he remembers the beating. [2] kräftig, forceful, powerful, vigorous. [3] die Polizei, police.

Sprichwörter.

1. Wer klug ist, steht früh auf.
2. Das Ei will klüger sein als die Henne.
3. Ähnlich wie ein Tropfen (*drop*) dem anderen.
4. Ähnlich wie ein Ei dem anderen.
5. Ein blindes Huhn findet auch ein Korn (*grain, corn*).
6. Was in des Nachbars Garten fällt, ist sein.
7. Er schließt den Stall, wenn das Pferd gestohlen ist.

16. Das Glück durch die Wurst.[1]

Herr Keller, einer der größten und reichsten Tuchfabrikanten[2] in ganz Deutschland, erzählte gern die folgende Geschichte:

Ich war vor langer Zeit aus einem fremden Lande zurückgekehrt und hatte mein eigenes kleines Geschäft angefangen. Da war die berühmte Messe[3] in Leipzig. Ich reiste nach Leipzig und nahm einen Kreditbrief (*letter of credit*) von tausend Talern mit. Das war alles, was ich hatte. Aber

---

[1] die Wurst, sausage. [2] das Tuch + der Fabrikant, manufacturer = der Tuchfabrikant, manufacturer of cloth. [3] die Messe, fair; Mass.

damals war ich jung und hoffte, mit den tausend
Talern doppelt[1] so viel zu verdienen.

Ich reiste also nach Leipzig zur Messe und brachte
meinen Kreditbrief zu dem Hause Frege und Co.[2]
5 Der alte Herr Frege empfing mich sehr freundlich,
ließ meinen Namen in sein Buch schreiben und
wünschte mir gute Geschäfte.

Bald sah ich, daß ich mit meinen tausend Talern
nicht viel anfangen konnte. „Wenn es nicht mit
10 viel geht, so geht es mit wenig," dachte ich bei
mir; „arbeiten ist besser als feiern."

Ich wählte eine Menge der besten Ware und ging
zu Frege und Co., um mein Geld zu holen. Da
sagte Herr Frege zu mir:

15 „Es ist gut, daß Sie kommen. Ich wollte Sie
fragen, wo Sie wohnen." Ich sagte die Wahrheit
und antwortete:

„Ich wohne wie ein armer Handwerksbursche in
einem kleinen billigen[3] Zimmer."

20 „Nun," sprach Herr Frege mit einem feinen
Lächeln, „ich lade[4] Sie ein,[4] morgen mittag bei
mir zu essen. Sie werden eine große Gesellschaft[5]
in meinem Hause finden, und das ist gut für einen
jungen Tuchfabrikanten."

25 Ich wußte nicht, was ich antworten sollte, nahm[6]
die Einladung[4] an,[6] dankte und ging hinaus.

---

[1] doppelt, double, doubly. [2] Co. = Kompanie. [3] billig,
cheap, reasonable. [4] einladen, invite; die Einladung, invita-
tion. [5] die Gesellschaft, company, party. [6] annehmen, accept.

Später am Tage erzählte ich einem Freunde, was geschehen war:

„Herr Frege hat mich eingeladen, morgen mittag in seinem Hause zu essen. Er sprach von einer großen Gesellschaft. Soll ich die Einladung wirk= 5 lich annehmen?" Mein Freund antwortete:

„Jedes große Geschäftshaus wie Frege und Co. bekommt während der Messe viele Kreditbriefe. Wer einen solchen Brief bringt, ist ein Kunde.[1] Kunden sind Gäste des Geschäftshauses, und Gäste 10 empfängt man gern. Darum hast du eine Einla= dung bekommen. Aber billig ist solch ein Mittag= essen nicht. Man muß den Dienern ein Trinkgeld (*tip*) von etwa zwei Talern geben, und das ist nicht billig, sondern teuer.[2] Aber nimm die Ein= 15 ladung an. Das gehört zum Geschäft."

„Zwei Taler für ein Mittagessen," denke ich bei mir, „das ist eine teuere Sache. Da bleiben mir von meinen tausend Talern nur noch neunhundert achtundneunzig (*998*). Das geht nicht." 20

Am nächsten Mittag kaufte ich mir für zwanzig (*twenty*) Pfennig Wurst, für sechs Pfennig Brot, steckte beides in die Tasche und ging hinaus in den Park. Mein Tisch war schnell gedeckt. Ich setzte mich auf eine Bank[3] und nahm meine Sachen aus 25 der Tasche. Ich schnitt die Wurst in sechs gleiche Teile und legte sie neben mich auf die Bank.

[1] der Kunde, customer.   [2] teuer, dear, expensive.   [3] die Bank, bench.

41

„Das," sagte ich, „ist meine Suppe, das mein Fisch, das mein Fleisch, das mein Gemüse und meine Kartoffeln, das mein Salat und das meine süße[1] Speise.[2] Ich glaube nicht, daß sie in der Stadt in der Gesellschaft bei Herrn Frege mehr haben oder daß es ihnen besser schmeckt."

Ich aß gerade meine süße Speise. Sie schmeckte außerordentlich gut. Da sah ich auf einmal einen Herrn auf einem schönen, braunen Pferd den Weg entlang reiten.

„Der," denke ich, „will sich ein wenig bewegen, um guten Appetit zu bekommen. Das brauche ich nicht. Appetit habe ich für drei."

Schneller, als ich dies sagen kann, war der Reiter bei mir. Ich erschrak, denn es war kein anderer als der alte Herr Frege selbst. In meiner Angst fiel[3] mir das letzte Stück von meiner süßen Speise aus der Hand.[3] Der Hund des Herrn Frege war ihm gefolgt und fraß das letzte Stück mit großem Appetit.

„Herr Keller," rief Herr Frege, „was machen Sie denn da? Glauben Sie, daß Sie bei mir nicht genug zu essen bekommen?"

Was sollte ich nun sagen? „Sage die Wahrheit," dachte ich bei mir.

[1] süß, sweet. [2] die Speise, food; die süße Speise, dessert.
[3] fiel mir . . . aus der Hand = fiel aus meiner Hand, dropped from my hand.

„Es tut mir leid,“ erklärte [1] ich, „daß ich sparen [2] muß. Es ist mir nicht möglich, zwei Taler für ein einziges Mittagessen zu zahlen.[3] Ich muß sparen und billig leben. Morgen werde ich zu Ihnen kommen und Sie bitten, mir zu verzeihen, weil 5 ich Ihre freundliche Einladung angenommen habe und nicht gekommen bin.“

Da lachte er laut und sagte: „Das müssen Sie aber sicher tun, oder ich werde böse. Es ist gut, daß Sie mir die ganze Sache erklärt haben. Ich 10 erwarte Sie morgen um fünf Uhr[4] in meinem Hause. Ich wünsche Ihnen noch guten Appetit.“

Und fort war der alte Herr Frege auf seinem schönen, braunen Pferd.

Am nächsten Tage, als die Uhr fünf schlug, 15 trat ich in das Haus des Herrn Frege. Ein Diener zeigte mir sein Zimmer. Ich trat ein. Herr Frege hatte mich erwartet. Er kam, faßte meine Hand, drückte sie und sprach:

„Lieber Herr Keller, Sie haben für zehntausend 20 (*10.000*) Taler Kredit bei mir, aber wenn Sie doppelt so viel brauchen, so sagen Sie es nur ganz offen.“

Ich antwortete: „Sie irren sich, Herr Frege. Ich habe nur Kredit für tausend Taler, nicht 25 mehr.“ Da erklärte er:

---

[1] erklären, explain. [2] sparen, save (money). [3] zahlen, bezahlen, pay. [4] Uhr, *here:* o'clock.

43

„Es ist kein Irrtum. Zehntausend oder doppelt
so viel, wenn Sie das Geld brauchen können. Sie
sind ein kluger Mann und haben mein volles Ver=
trauen. Sie wissen, wie man verdient und spart.
5 Wer spart und verdient, wird nicht ärmer. Das ist
gewiß. Heute abend essen Sie ganz allein bei mir
in meiner Familie."

Und so ist es auch geschehen. Herr Frege hat
die Geschichte von der Wurst seiner Familie nicht
10 erzählt, bis ich fort war.

So ist es mir durch ein kleines Stück Wurst möglich
gewesen, einer der größten Tuchfabrikanten Deutsch=
lands zu werden. Solange wie der alte Herr Frege
gelebt hat, bin ich jedes Jahr nach Leipzig zur
15 Messe gefahren, und jedes Jahr habe ich in seinem
Hause gegessen. Und da ist zuletzt immer ein Stück
Wurst auf den Tisch gekommen, nur für mich.

Sprichwörter.

1. Keine Wurst ist dem Hund zu lang.

2. Das Teuerste ist nicht immer das Beste. Das
Billigste ist nicht immer das Schlechteste.

3. Arbeit macht das Leben süß.

4. Dem einen ist es Speise, dem anderen Gift.
(Was für den einen Speise ist, ist für den anderen
Gift.)

5. Sparen ist Verdienen.

6. Was man spart vom Mund, fressen Katz und Hund.

7. Spare in der Zeit, so hast du in der Not.[1]

8. Doppelt gibt, wer gleich gibt.

9. Doppelt hält besser.

17. Das Hemd[2] des Zufriedenen.[3]

Es war einmal ein König. Er lebte in einem fernen Lande, war reich und dennoch[4] in großer Not. Er sorgte[5] sich so sehr um[5] sein Volk und sein Land, daß er oft die ganze Nacht nicht schlafen konnte.

Er rief seinen hohen Rat zusammen und klagte:

„Ich bin Euer König und dennoch ein armer Mann und in großer Not. Ich sorge mich so sehr um mein Volk und mein Land, daß ich die ganze Nacht nicht schlafen kann."

Ein alter, erfahrener Mann stand auf und sprach:

„Es gibt ein Mittel[6]; das wird wieder Schlaf in deine Augen bringen. Aber das Mittel wird schwer zu bekommen sein. Du mußt das Hemd eines vollkommen Zufriedenen immer auf deinem Leibe tragen. Wenn du solch ein Hemd trägst, wirst du wieder ruhig und ohne Sorge[5] schlafen."

[1] die Not, want, distress. [2] das Hemd, shirt. [3] der Zufriedene, contented or satisfied person. [4] dennoch, nevertheless. [5] sorgen, care; sich sorgen (um + acc.), worry (about); die Sorge, care. [6] das Mittel, means, remedy.

Als der König das hörte, beschloß[1] er, dem Rate des weisen Mannes zu folgen, und er wählte drei der klügsten Männer. Diese sollten durch das Reich wandern und versuchen, das Hemd eines vollkom=
5 men Zufriedenen zu finden.

Als die drei weisen Männer hörten, was der König beschlossen hatte, machten sie sich auf den Weg.[2] Zunächst gingen sie in die Städte, wo viele Menschen wohnten, denn sie dachten:

10 „Hier kommen wir zuerst ans Ziel. Hier finden wir, was dem König not tut."[3]

Sie gingen von Haus zu Haus, von Familie zu Familie und fragten[4] nach[4] einem zufriedenen Menschen. Aber dem einen fehlte dies, dem anderen
15 fehlte das, und niemand wollte sich zufrieden nen= nen. Da sprachen die Männer:

„Hier in den Städten kommen wir nicht ans Ziel; hier finden wir nicht, was dem König not tut. Wir wollen uns auf den Weg machen und aufs Land
20 gehen.[5] Auf dem Lande wird die Zufriedenheit[6] noch zu Hause sein."

Als sie dies beschlossen hatten, ließen sie die Städte hinter sich und gingen durch blühende Felder[7] in ein kleines Dorf. Wieder fragten sie

---

[1] beschließen, resolve.   [2] sich auf den Weg machen, set out (on one's way).   [3] not tun, be necessary.   [4] fragen (nach + dat.) ask (for).   [5] aufs Land gehen, go to the country. [6] die Zufriedenheit, contentment, satisfaction.   [7] das Feld, field.

46

von Haus zu Haus und von Familie zu Familie,
und sie gingen in das nächste Dorf und noch weiter,
zu armen und reichen Leuten, aber die Zufrieden=
heit fanden sie nicht. Da wurden sie recht traurig
und machten sich auf den Weg nach Hause. 5

Wie sie nun durch blühende Felder nach Hause
wanderten und an ihren armen König dachten
und an seine Sorgen um Volk und Land, trafen[1]
sie einen Schweinehirten.[2] Der Hirt lag ganz
ruhig und zufrieden bei seiner Herde.[3] Die Frau 10
des Hirten brachte ihm gerade das Frühstück.[4] Die
Frau trug ein Kind auf den Armen und freute
sich, ihren Mann zu sehen. Das Frühstück war
nichts als Brot und Milch. Der Hirt aß sein Brot,
trank seine Milch, sah zufrieden auf seine Herde 15
und spielte mit seinem Kinde. Die Männer von
des Königs Hof waren erstaunt und fragten:

„Wie kommt es, daß du so wenig hast und den=
noch so glücklich bist?"

„Meine lieben Herren." sprach der Schweine= 20
hirt, „das kommt, weil ich zufrieden bin mit dem
wenigen, was ich habe."

Da freuten die Männer sich sehr, endlich einen
vollkommen zufriedenen Menschen getroffen zu
haben. Sie erzählten ihm von dem armen König, 25

---

[1] treffen, meet. [2] das Schwein + der Hirt, herdsman,
shepherd = der Schweinehirt, swineherd. [3] die Herde, herd,
flock. [4] das Frühstück, breakfast.

seinen Sorgen um Land und Volk und von dem,
was ihm not tat. Dann versprachen sie dem armen
Hirten, ihm hundert Taler für ein Hemd von
seinem Leibe zu bezahlen. Der Hirt lächelte und
5 sprach:

"Ich will Euch gern alles geben, was ich habe.
Zufriedenheit habe ich, aber unter diesem Rock
findet ihr kein Hemd. Ein Hemd habe ich nicht."

Als die Männer das hörten, erschraken sie, denn
10 sie konnten kaum hoffen, noch einen zufriedenen
Menschen zu treffen.

So machten die Männer sich auf den Weg und
traten endlich vor den König. Sie berichteten, daß
sie im ganzen Lande keinen vollkommen zufrie=
15 denen Menschen gefunden hatten. "Nur einen
haben wir getroffen," sagten sie, "der war ganz
zufrieden, aber ein Hemd hatte er nicht."

Der König lächelte traurig und mußte seine Sor=
gen um Land und Volk allein weiter tragen so gut,
20 wie er konnte, denn niemand konnte ihm helfen.

Sprichwörter.

1. Not lehrt beten.
2. Not bricht (*breaks*) Eisen.
3. In der Not erkennt man den Freund.
4. Zufrieden sein macht Wasser zu Wein.
5. Wer zufrieden ist, ist glücklich.

48

6. Volkes Stimme, Gottes Stimme.

7. Wie der Hirt, so die Herde.

8. Der Hirten Not ist der Schafe Tod.

9. Morgenstunde hat Gold im Munde.

10. Bei Kartoffeln und Brot leidet der Bauer keine Not.

11. Gleich bezahlt ist gut bezahlt.

12. Alles hat ein Ende, nur die Wurst hat zwei.

13. Ende gut, alles gut.

LIST OF IDIOMS
IN ORDER OF OCCURRENCE

Eine Nacht im Jägerhaus
(Friedrich Hebbel)

AND

Die Geschichte von Kalif Storch
(Wilhelm Hauff)

RETOLD AND EDITED

BY

PETER HAGBOLDT
The University of Chicago

Adding 145 words and 17 idioms to the 815 words
and 90 idioms used in Booklets I–III
Total, about 960 words of high frequency
and 107 common idioms

BOOK FOUR — ALTERNATE

D. C. HEATH AND COMPANY
BOSTON

Dieser begann, den anderen Zauberern von seinen bösen
Werken zu erzählen.

Eine Nacht im Jägerhaus.[1]

I

„Kommen wir denn noch nicht bald nach D.?"
rief[2] Otto laut und ärgerlich[3] seinem Freunde
Adolf zu.[2] Zugleich[4] fühlte er mit der Hand nach
seiner linken Backe, weil er sich an einem Zweige
weh getan hatte. „Die Sonne steht schon lange 5
hinter den Bergen, es kann kaum noch dunkler
werden, und die Beine wollen mich nicht mehr
tragen."

„Ich glaube, daß wir uns verirrt[5] haben," sprach
Adolf ärgerlich. „Wahrscheinlich werden wir ge-10
zwungen[6] sein, diese Nacht im Walde zu schlafen."

„Das habe ich schon lange gedacht," rief Otto.
„In der Regel[7] kennst du jede Straße und jedes
Haus, jeden Baum und jeden Busch auch da, wo du
nur selten gewesen bist. Hier bist du so gut wie zu 15
Hause und verirrst dich. Hungrig bin ich auch wie
ein Wolf, wenn er ein Schaf blöken (*bleat*) hört."

„Warte, ich habe noch ein Brötchen[8] in der

---

[1] das Jägerhaus, huntsman's *or* ranger's house *or* lodge.
[2] zurufen, call to. [3] ärgerlich, angry, vexed, annoyed, irritated. [4] zugleich, at the same time. [5] sich verirren, lose one's way. [6] zwingen, force, compel. [7] die Regel, rule; in der Regel, as a rule. [8] das Brötchen, roll.

Tasche," antwortete Adolf, indem[1] er beide Hände
in die Rocktaschen steckte; „doch nein," sagte er
sogleich darauf, „es tut mir leid, das letzte Brötchen
habe ich im Dorfe einem armen, hungrigen Hunde
5 zugeworfen."[2]

Eine lange Pause folgte, eine Pause, wie sie nur
dann unter Studenten entsteht,[3] wenn sie müde,
hungrig und ärgerlich sind. Ohne ein Wort zu
sagen, wanderten die Freunde ihres Weges.

10 „Nun fängt es auch noch an zu regnen,"[4] begann
Otto endlich wieder.

„Wer eine Haut[5] hat, fühlt es," antwortete Adolf;
„aber ein wenig Regen[4] kann nichts schaden, nicht
einmal der feinsten Haut. Ich habe die Haut eines
15 Elefanten; laß es regnen."

Indem er dieses sagte, hatte er aufmerksam[6]
durch die Bäume des Waldes geblickt.[7] „Wenn ich
mich nicht irre," sprach er jetzt, „so sehe ich dort in der
Ferne ein Licht schimmern."[8]

20 „Es ist sicher ein Irrlicht (*will-o'-the-wisp*),"
sprach Otto. „Es gibt gewiß viele Sümpfe
(*swamps*) in diesem Walde, und wo es viele Sümpfe
gibt, dort schimmern in der Regel ferne Irrlichter
durch die Bäume, und man sieht vieles, was wirklich
25 gar nicht da ist."

Indem er diese Worte sprach, ging er schneller
und schneller.

[1] indem, while. [2] zuwerfen, throw to. [3] entstehen, arise,
originate. [4] regnen, rain; *noun:* der Regen. [5] die Haut, skin,
hide. [6] aufmerksam, attentive(ly). [7] blicken, look, glance.
[8] schimmern, gleam, glitter; *noun:* der Schimmer.

„Wer da?"[1] rief Adolf plötzlich[2] mit lauter Stimme und blieb stehen, aber niemand antwortete. „Ich meinte, Fußtritte[3] hinter uns zu hören," sagte er dann.

„Wer da?" rief Otto nun auch und blickte aufmerksam in den dunklen Wald hinaus; und wieder antwortete niemand. „Du hast dich sicher geirrt; es war vielleicht nur der Wind in den Bäumen," sagte er nach einer Weile.

Indessen waren die Freunde an ein altes Haus gekommen. Dieses lag einsam und allein unter hohen Tannen[4] und Eichen. Die Tannen und Eichen standen an allen Seiten des Hauses. Ein schwaches[5] Licht schimmerte durch eines der kleinen Fenster. Sie traten näher und blickten hinein.

Ein großes, einsames Zimmer zeigte sich ihren Blicken. Einige Stühle[6] und Tische standen in den Ecken umher.[7] An einer Wand, nicht weit vom Fenster, stand ein alter Ofen. Über diesem hingen zwei Pistolen und ein Hirschfänger (*hunting knife*). Auf einem Stuhl am Tisch saß eine alte Frau. Diese hatte keine Zähne[8] mehr und nur noch ein Auge. Zu den Füßen[9] der Alten[10] lag ein großer Hund.

„Ich denke," begann Adolf, nachdem[11] er alles aufmerksam angesehen hatte, „es ist besser, hier im

---

[1] wer da, who goes there. [2] plötzlich = auf einmal, suddenly. [3] der Fuß + der Tritt, step = der Fußtritt, footstep. [4] die Tanne, fir tree. [5] schwach, weak, feeble; dim. [6] der Stuhl, chair. [7] umher, about, around. [8] der Zahn, tooth. [9] zu den Füßen, at the feet. [10] die (der) Alte, old woman (man). [11] nachdem, *conj.* after.

3

Walde unter einem Busch oder einem Baum zu
schlafen als in dieser einsamen Höhle, denn mehr als
eine Höhle ist es nicht."

Otto wollte gerade dasselbe sagen, aber da der
5 Mensch in Stunden des Mißerfolges[1] ärgerlich ist
und seine Meinung[2] schnell ändert,[3] sagte er:

„Ich weiß wirklich nicht, aus welchem Grunde wir
nicht hineingehen sollen. Vor einem alten Weibe
braucht sich niemand zu fürchten."

10 „Du verstehst mich nicht oder willst mich nicht
verstehen," antwortete Adolf unfreundlich und
scharf. „Die Alte wartet sicher auf Gäste, auf
welche Art von Gästen, ist schwer zu sagen. Sieh
nur, das eine Auge und die Zähne hat die Alte
15 sicher beim letzten Streit verloren. Und siehst du
die Gläser und Flaschen[4] in der Ecke? Ein Wirts=
haus ist es gewiß, aber wie du willst," sagte Adolf
zuletzt.

Bevor Otto noch etwas sagen konnte, hörten die
20 Freunde hinter sich eine tiefe, kräftige Stimme.
„Guten Abend!" sagte diese, und die Gestalt eines
Mannes war plötzlich aus dem Dunkel[5] des Waldes
in den schwachen Lichtschimmer getreten. Die
blauen, klugen Augen des Mannes wanderten
25 schnell von dem einen zum andern. Der Mann war
nicht groß, aber breit und stark mit kräftigen
Schultern. Er hatte einen grünen Jägerhut tief in
die Stirn gedrückt.

---

[1] der Erfolg, success; der Mißerfolg, failure. [2] die Meinung,
opinion. [3] ändern, alter, change. [4] die Flasche, bottle, flask.
[5] das Dunkel, darkness.

4

II

Noch ehe die beiden Freunde den Mann genau ansehen konnten, sagte er:

„Ohne Zweifel[1] haben Sie sich verirrt und suchen ein Zimmer für die Nacht. Danken Sie dem Himmel, daß ich eben[2] aus dem Walde zurückkehre. Meine alte Mutter nimmt[3] in der Regel keine Gäste für die Nacht auf,[3] aber ohne Zweifel werden Sie froh sein, bei diesem Regen ein Dach über dem Kopf zu haben. Etwas besser als unter einem Busch oder einem Baum werden Sie gewiß in unserem Dach= zimmer[4] schlafen. Ein Bett finden Sie dort nicht, aber mit Stroh[5] können wir dienen. Stroh haben wir genug. Mit einer Flasche Bier[6] oder zwei, mit Brötchen, Butter und einem Stück Käse können wir auch dienen. Wenn Sie also wollen, dann folgen Sie mir.“

Der Jäger trat an die Tür und klopfte. Er horchte,[7] aber alles blieb still. Er horchte noch einmal und klopfte lauter.

„Meine alte Mutter hört nicht mehr gut,“ er= klärte er dann, indem er sich zu den Freunden wandte.

Der Hund zu den Füßen der Alten bellte, sprang plötzlich zur Tür und bellte lauter. Die Alte ging mit schweren Tritten zum Fenster.

---

[1] der Zweifel, doubt; ohne Zweifel, no doubt. [2] eben, just now. [3] aufnehmen, receive. [4] das Dachzimmer, garret, attic. [5] das Stroh, straw. [6] eine Flasche Bier, a bottle of beer. [7] horchen, listen, harken.

„Ich bin es," rief der Jäger laut.

„Du, mein Sohn?" antwortete die alte Frau von innen und öffnete langsam die Tür. Der Jäger trat nun schnell in das große, einsame Zimmer.

5 „Guten Abend, Mutter!" rief er der Alten zu, nachdem er die Freunde eingeladen hatte einzutre= ten.[1] Diese folgten seiner Einladung und traten ein, zuerst Otto, dann Adolf. Der Hund bellte und zeigte seine scharfen Zähne.

10 „Leg dich, Harras!" rief der Jäger seinem Hunde zu. Dieser folgte dem Befehle seines Herrn und legte sich unter einen der Tische.

Eben waren die Freunde eingetreten, als der Jäger die Tür mit sonderbarem[2] Eifer[3] hinter ihnen 15 abschloß.[4] Adolf und Otto hatten gesehen, wie sonderbar eifrig[3] der Jäger die Tür verschlossen hatte und sahen einander heimlich[5] an.

Die alte Frau nahm ihre Brille (*spectacles*) aus der Tasche, putzte sie, setzte sie auf die Nase und 20 blickte unfreundlich auf die fremden Gäste.

„Noch nicht da?" fragte der Jäger seine Mutter, indem er sie weiter in das Zimmer hineinführte. Er flüsterte[6] so leise mit ihr, daß nur Otto hier und da ein Wort verstehen konnte. Flüsternd trat er nun 25 mit der Alten in eine Ecke, und mehr als einmal flog ein sonderbar häßliches Lächeln über sein Gesicht. Die Alte ging hinaus, nachdem sie noch einen

---

[1] eintreten, enter. [2] sonderbar, strange, queer. [3] der Eifer, zeal, ardor; eifrig, zealous, eager. [4] abschließen = verschließen, lock (up). [5] heimlich = geheim, secret, clandestine. [6] flüst= ern, whisper.

6

geheimen¹ Blick auf die späten Gäste geworfen hatte.

Bald darauf kam sie mit zwei Flaschen Bier, Brötchen, Butter und Käse zurück. Der Jäger schob² zwei Stühle an den Tisch und bat die Freunde, sich zu setzen. Dann schob er das Abendessen vor die hungrigen Freunde. „Guten Appetit!" sagte er kurz.

Die Freunde waren hungrig und durstig, denn der Marsch war weit und die Sonne heiß. Sie aßen und tranken mit großem Appetit.

Indessen nahm der Jäger die beiden Pistolen von der Wand und legte sie auf den Tisch. Still und ernst putzte er zunächst die eine Pistole, dann die andere. Nachdem er dieses mit großem Eifer getan hatte, lud³ er die Pistolen schnell nacheinander und steckte sie in die Rocktaschen.

„Hast du das gesehen?" flüsterte Adolf. „Während wir uns um nichts sorgen, ladet dieser Mensch seine Pistolen; ich möchte wissen⁴ warum."

„Keine Sorge!" flüsterte Otto zurück und schob sein Glas von sich.

Der Jäger stand plötzlich auf, kam an den Tisch der Freunde und sagte kurz:

„Es ist Zeit zum Schlafen. Folgen Sie mir."

Nachdem er die Lampe⁵ vom Tisch genommen hatte, führte er die Freunde an eine enge⁶ Treppe.⁷ Die Treppe führte in ein kleines, enges Dachzimmer,

---

¹ See note 5, page 6. ² schieben, push, shove. ³ laden, load, charge. ⁴ ich möchte wissen, I should like to know. ⁵ die Lampe, lamp. ⁶ eng, narrow. ⁷ die Treppe, staircase, stairs.

7

wo sie ein Strohbett schon bereit fanden. Mit einem
kurzen „Gute Nacht" wollte der Jäger wieder aus
dem Dachzimmer gehen, aber beide Freunde er=
klärten, daß sie ein Licht wünschten.

5   „Ein Licht?" fragte der Jäger verlegen.[1] „Es tut
mir leid, aber Sie werden gezwungen sein, in mei=
nem Hause zu schlafen, wie man im Grabe schläft,
ich meine im Dunkeln. Meine Mutter hat selten eine
Kerze (*candle*) im Hause, und die Lampe brauchen
10 wir selbst, um zu . . ."

„Um zu?" fragte Otto, da der Jäger nicht weiter
sprach und verlegen nach Worten suchte.

„Um den Abendsegen[2] zu lesen, natürlich," sagte
der Jäger endlich. „Sie sind wahrscheinlich Stu=
15 denten und wissen den Abendsegen auswendig.[3]
Meine Mutter und ich wissen die Bibel nicht aus=
wendig und müssen daher[4] den Abendsegen lesen.
Daher brauchen wir ein Licht. Aber vielleicht habe
ich Glück und finde ein Stück Kerze. Wenn ich eins
20 finde, bringe ich Ihnen die Lampe wieder zurück."

Der Jäger ging und ließ die Freunde im Dunkeln.

„Was denkst du? Was ist deine Meinung?"
fragte Otto.

„Ich glaube," antwortete Adolf ernst, „wir wer=
25 den diese Nacht gar nicht schlafen oder sehr lange."

---

[1] verlegen, embarrassed.   [2] der Abend + der Segen, bless-
ing, prayer = der Abendsegen, evening prayers.   [3] auswendig,
by heart.   [4] daher, hence, therefore.

8

III

„Ift dort nicht ein Fenfter im Dach?" fragte Otto nach einer Weile.

„Es fcheint[1] fo," antwortete Adolf, „ich will verfuchen, es zu öffnen."

Er taftete (*groped*) zum Fenfter und verfuchte, es aufzumachen; ohne Erfolg. 5

In diefem Augenblick trat der Jäger mit der Lampe wieder ins Dachzimmer. Mit böfem Geficht rief er Adolf zu:

„Diefes Fenfter kann niemand aufmachen. Es ift feft verfchloffen. Nicht nur das, es ift vernagelt 10 (*nailed down*), von innen und von außen vernagelt. Frifche Luft haben Sie genug, denn das Glas an drei Fenftern fehlt."[2]

Nach diefen Worten ging er zur Tür zurück; er wandte fich aber noch einmal zu den Freunden und 15 fagte:

„Wenn Sie da unten[3] noch diefes oder jenes hören, fo laffen Sie fich nicht ftören.[4] Niemand wird Ihnen etwas Böfes tun." 20

„Wer wird denn da unten noch fo fpät ftören?" fragte Adolf.

„Nun," antwortete der Jäger fonderbar fpöttifch,[5] „wer in einem Wirtshaus noch fo fpät ftören wird? Späte Gäfte natürlich." 25

„Aber ficher find wir doch?" fprach Adolf.

---

[1] fcheinen, *here:* appear, seem. [2] fehlen, *here:* be missing.
[3] unten, below, downstairs. [4] ftören, disturb. [5] fpöttifch, mocking(ly), ironical(ly).

9

„Wenn nicht," rief Otto sich zur Ruhe zwingend, „so haben wir Waffen, gute Waffen."

„Das freut mich!" antwortete der Jäger laut und spöttisch lachend, und er warf die Tür hinter sich 5 ins Schloß,[1] daß das Haus bebte.[2]

„Harras," rief er vor der Tür, „paß auf, paß gut auf!" Der Hund legte sich nieder.

„Abgeschlossen, alle Türen und Fenster fest verschlossen," sagte Otto.

10 „Wir wollen uns freuen, daß wir die Lampe haben," sprach Adolf, indem er in die Ecken des engen Dachzimmers leuchtete,[3] wo viele alte Sachen umherstanden. „Nun wollen wir sehen, ob wir unter diesen alten Dingen keine Waffe finden."

15 Jetzt begannen sie, die alten Sachen anzusehen. Otto fand einen alten Kalender. Er nahm ihn und warf ihn sogleich wieder in die Ecke. Adolf aber griff[4] in die Ecke und las eifrig in dem Kalender. Nach wenigen Minuten ließ er ihn mit blassem 20 Gesicht aus den Händen fallen und sagte:

„Nun weiß ich, wo wir sind. Dies ist die Höhle eines Mörders."[5]

„Eines Mörders?"

„Ja, in diesem alten Kalender kannst du es lesen," 25 sprach Adolf leise. Dann nannte er den Namen eines in ganz Deutschland berüchtigten (*notorious*) Mörders. Nach vielen Morden[5] hatte man ihn vor

---

[1] das Schloß, *here:* lock; er warf die Tür hinter sich ins Schloß, he slammed the door (shut) behind him. [2] beben, quiver, quake, tremble. [3] leuchten, throw light. [4] greifen, seize, grasp. [5] der Mörder, murderer; der Mord, murder.

einem halben Jahr in einer Stadt am Rhein ent=
hauptet (*beheaded*).

"Lies," sprach Adolf, zugleich auf den Kalender
zeigend, "hier steht der Name des Mörders; wahr=
scheinlich sind wir die Gäste seines Sohnes." 5

Otto zwang sich zur Ruhe; er griff nach dem
Kalender und las. Dann wurde auch er blaß.
Unten im Hause blieb alles still. Die Freunde sahen
sich schon im Grabe, tot durch den Schlag,[1] den
Stich[2] oder den Schuß[3] eines Mörders. 10

Sich den Tod zu denken mit allen seinen Schrecken[4]
und Geheimnissen,[5] ist schon der halbe Tod. Sich
den Tod zu denken, während noch die jugendliche[6]
Kraft das Leben wünscht und will, ist mehr als der
halbe Tod; es ist das Schrecklichste[4] aller Schrecken. 15
Die Freunde sind jung; sie kennen das Leben noch
nicht; noch fühlen sie die ganze Kraft der Jugend
in ihren Armen.

Sterben ohne Kampf, ohne ein letztes Zeichen der
frischen, jugendlichen Kraft, ohne einen Schlag oder 20
Stich gegen den Mörder? Nein, tausendmal nein!
Ohne Kampf nie! Noch fühlen sie den Willen zum
Leben und die Kraft zum Kampfe.

Die Freunde suchten weiter. Endlich rief Otto:
"Hier ist etwas!" 25

In demselben Augenblick sah er hinter einem
Kasten ein Beil (*hatchet*). Einer nach dem an=

---

[1] der Schlag, blow, stroke. [2] der Stich, stab; thrust.
[3] der Schuß, shot. [4] der Schrecken, fright; schrecklich, terrible,
frightful; das Schrecklichste, the most frightful. [5] das Ge=
heimnis, secret; mystery. [6] jugendlich, youthful.

deren griff nach dem Beil, nahm es in die Hand und sah es genau an.

„Siehst du das Blut?" fragte Adolf. „Es ist Blut, ganz ohne Zweifel."

5 „Du hast recht,[1] es ist ohne Zweifel Blut," wiederholte[2] Otto. „An eine solche Nacht dachten wir diesen Morgen nicht, als wir des Weges wanderten, um uns einen frohen Tag zu machen. Die ganze Natur[3] leuchtete, die Sonne schien so hell und freund=
10 lich, ein frischer Wind spielte in unserem Haar, und wir sprachen von kommenden, goldenen Tagen."

„Wer klopft?" rief Adolf plötzlich und eilte zur Tür, das Beil zum Schlage bereit.

„Es ist nur der Hund," erklärte Otto; „er kratzt
15 (scratches) sich."

„Du hast recht," sprach Adolf, „das Tier liegt schon wieder in tiefem Schlaf. Komm, wir wollen uns auf das Bett setzen und die Lampe auf den Stuhl stellen."

20 Sie taten es. Otto las in dem alten Kalender; Adolf sah mit ernstem Gesicht in das Licht der Lampe hinein.

„Es ist ein schrecklicher Gedanke,"[4] sprach er nach langem Schweigen,[5] „an einem Orte zu sitzen, wo
25 vielleicht mehr als einmal ein Mörder einen un= schuldigen[6] Menschen überfallen, beraubt und ge= tötet hat. Vielleicht schärft (sharpens) man schon

---

[1] recht haben, be right. [2] wiederholen, repeat. [3] die Natur, nature. [4] der Gedanke, thought. [5] das Schweigen, silence; schweigen, keep, be silent. [6] unschuldig, innocent.

12

das Messer, und in der nächsten Stunde müssen wir
sterben. Hörtest du nicht die Haustür?"

„Gewiß," antwortete Otto, aufmerksam horchend.
„Ich hörte auch leise Fußtritte. Ohne Zweifel sind
das die Freunde des Jägers, ich meine Diebe, Räu= 5
ber und Mörder."

„Es ist mir recht," sprach Adolf und sprang schnell
auf die Füße, „ich kann auf nichts warten, am wenig=
sten[1] auf den Tod."

„Wir sind unser zwei,"[2] sprach Otto, „und sie 10
müssen zuerst die Treppe herauf. Ich denke, alles
geht noch gut. Sie sind schon auf der Treppe; sie
kommen. Ich öffne!"

Nach diesen Worten machte Otto die Tür schnell
auf und wollte hinaustreten. Aber der Hund zeigte 15
seine scharfen Zähne und trieb[3] ihn wieder ins Dach=
zimmer hinein. Da hörten die Freunde plötzlich die
Stimme des Jägers aus dem Dunkel der engen
Treppe.

IV

„Leg dich, Harras," rief der Jäger spöttisch, „laß 20
die Herren, wenn sie deinen Schutz[4] nicht wollen.
Wie es scheint, brauchen die Herren keinen Schutz."

Dann trieb er den Hund zur Seite. Dieser ließ
die Ohren hängen und legte sich nieder. Adolf nahm
die Lampe und trat an die Treppe. 25

„Noch nicht eingeschlafen?" fragte der Jäger.

[1] am wenigsten, least of all. [2] wir sind unser zwei, there are
two of us. [3] treiben, drive; urge. [4] der Schutz, protection.

13

„Was wollen Sie noch hier oben¹ so spät in der Nacht?" rief Adolf.

„Ja, was war es nur?" sagte der Jäger, verlegen nach Worten suchend. „Irgendetwas² war es doch."

„Wir trauen Ihnen nicht!" rief Adolf mit flammenden³ Augen.

„Dann sind Sie irgendwo² Amtmann?"⁴ fragte der Jäger. „Die Herren Amtleute⁴ haben meine Nase nicht gern; sie finden sie häßlich; finden Sie das auch?"

„Mensch!" rief Adolf, setzte die Lampe auf den Boden und ging auf den Jäger los.⁵

„Kein böses Wort," sprach der Jäger ernst. „Ich glaube Ihnen gern, daß Sie studieren und vielleicht einmal berühmte Leute werden. Aber," sprach er in seinem alten spöttischen Ton⁶ weiter, „schieben Sie die Lampe ein wenig weiter fort; ich habe einen schrecklichen Husten (cough), und wenn ich die Flamme aushuste (cough out), so sind wir wieder im Dunkeln. Wie es scheint, sehen Sie mich nicht gern hier oben. Nun, dann tun Sie mir einen Gefallen⁷ und füllen Sie mir diesen kleinen Sack mit Hafer (oats) für mein krankes Pferd. Dort in der Ecke steht ein großer Sack; aus dem können Sie den

---

¹ oben, upstairs; hier oben, up here.   ² irgend, any; irgend=
etwas, something, anything; irgendwo somewhere, anywhere.
³ flammen, flame, blaze.   ⁴ das Amt, office; der Amtmann,
official, bailiff, magistrate; *pl.*: die Amtleute.   ⁵ losgehen (auf
+ *acc.*), go straight up to.   ⁶ der Ton, tone; sound.   ⁷ der Ge=
fallen, favor, kindness.

kleinen füllen. Sie tun mir sicher diesen kleinen Gefallen."

Otto tat statt[1] Adolf, was der Jäger gewünscht hatte. Der Jäger ging hinaus, die Freunde schlossen die Tür, und der Hund legte sich wieder auf seinen alten Platz.

„Eine sonderbare Nacht voll[2] von Schrecken und dunklen Geheimnissen," sagte Otto zu Adolf. „Am Ende hat der Mensch die Wahrheit gesagt und ist mit seiner Mutter allein im Hause. Seine Freunde sind nicht gekommen, und daher läßt er uns heute noch leben."

„Alles ist möglich," sagte Adolf und sah nach seiner Uhr; „aber es ist noch früh."

Ein Schuß fiel. Zugleich entstand ein sonderbares Geräusch[3] vor dem Dachfenster. „Wer da?" rief Adolf, trug die Lampe zum Fenster und leuchtete. Dann sagte er lachend:

„Es ist nur eine kleine Katze. Ich sehe die Gestalt eines Kätzchens. Wahrscheinlich ist sie von dem Schuß erschrocken und hat unser Licht schimmern sehen. Nun sieht sie in unser Fenster herein, wendet sich schnell hin und her, springt auf und ist fort."

Im nächsten Augenblick hörten die Freunde unten im Hause ein lautes Geräusch, einen Fall,[4] einen schweren Fall, wie von einem lebendigen Körper,[5] wie wenn ein schwerer Körper nach einem Schlag oder Stich tot zur Erde fällt. Das Haus bebte. Man

---

[1] statt = anstatt, instead of, in place of. [2] voll, full. [3] das Geräusch, noise. [4] der Fall, fall. [5] der Körper, body.

15

hörte laute Fußtritte und zugleich die Stimme der
Alten.

„Wie geht's?" rief die Stimme.

„Tot," antwortete der Jäger.

5 „Um des Himmels willen!"[1] schrie die Alte laut
und scharf, und alles wurde wieder still.

Die Freunde wußten nun nicht mehr, was sie an=
fangen sollten. Sie setzten sich auf das Bett, jeder
mit seinen eigenen Gedanken beschäftigt.[2] Unten
10 blieb alles still. Nachdem sie eine lange Weile
geschwiegen hatten, fielen sie endlich in einen un=
ruhigen Schlaf. Otto lag bald in einem Zustande[3]
halben Wachens[4] und halben Träumens.[5] In
diesem Zustande glaubte er zuletzt, das Licht der
15 Lampe nicht mehr zu sehen. Schnell sprang er auf
die Füße, glaubte aber, sich geirrt zu haben, da er
den Schimmer der Lampe wieder sah.

Da merkte Otto auf einmal zu seiner großen
Freude, daß die Sonne rot und golden ins Fenster
20 schien. Er rief Adolf; dieser lag noch in tiefem
Schlaf auf dem Stroh. Das Beil hielt er immer noch
fest in der Hand.

„Was gibt es?" rief Adolf, indem er aufsprang.

„Sieh!" antwortete Otto und führte ihn zum
25 Fenster.

„Gott sei gelobt!"[6] sprach Adolf. „Ich hatte
einen häßlichen Traum. Ich glaubte, in einem

---

[1] um des Himmels willen = um Gottes willen, for Heaven's
(God's) sake. [2] beschäftigen, occupy, engage. [3] der Zustand,
condition. [4] das Wachen, wakefulness. [5] das Träumen,
dreaming. [6] Gott sei gelobt, God be praised.

16

fremden Lande zu sein und ging durch einen dichten[1] Wald. Da stürzte[2] plötzlich ein Trupp (*troop, band*) von Dieben und Räubern aus einem dichten Busch und kam laut schreiend auf mich los. In der Todesgefahr rufe ich ihnen zu: 5

,Wartet, ich bin wie ihr; ich bin einer von euch!'

Zugleich nehme ich einen Dolch (*dagger*) aus der Tasche. Wie du weißt, hatte ich ihn damals auf der Messe in Frankfurt gekauft.   10

,Seht hier den Beweis!' rufe ich, indem ich ihnen den Dolch zeige. Die Räuber glauben mir nicht und lachen laut. Nun kommt auf einem herrlichen Pferde ein Reiter des Weges, und einer aus dem Trupp stürzt sich auf mich und schreit: 15

,Du bist einer von uns? Du bist wie wir? Gut, wir nehmen dich unter uns auf; nun geh und beweise, daß du die Wahrheit sprichst, und schlage ihn zu Boden!'

In diesem Augenblick rüfst du mich. Jetzt er= 20 innere ich mich, daß mein Onkel diese dumme Ge= schichte gern und oft erzählte. Ich glaubte ihm indessen kein Wort, weil er immer verlegen wurde, wenn ich ihn bat, das Ende der Geschichte zu er= zählen."   25

V

"Wir wollen," sagte Otto, "diese schreckliche Nacht und ihre Träume vergessen und Gott loben und ihm

---

[1] dicht, thick, dense.   [2] stürzen, tumble, rush, leap.

danken für diesen herrlichen Tag. Zum ersten Male
dürfen wir das Leben als ein kostbares[1] Gut[2] an=
sehen. Wir dürfen es nicht nur als ein Geschenk
ansehen, sondern als ein, wenn auch nicht verdien=
5 tes,[3] so doch durch Wachen und Vorsorge (*pre-
caution*) erhaltenes (*preserved*) kostbares Gut.“

Adolf drückte ihm warm und kräftig die Hand.
Jetzt hörte man unten im Hause die Stimme der
Alten. Sie sang ein altes schönes Morgenlied. Das
10 Lied lobte Gott als den Herrn aller Dinge und aller
kostbaren, herrlichen Güter der Welt. Fast ohne es
zu wissen, sangen[4] die Freunde mit[4] und stiegen[5] die
enge Treppe hinab.[5] Am Fuß der Treppe trat der
Jäger zu ihnen. Er grüßte[6] sie freundlich. Sein
15 Gesicht schien ihnen weit angenehmer als gestern.
Den Mann mit der tiefen, spöttischen Stimme er=
kannten sie kaum wieder. Eben waren sie bereit zu
sagen: „Wir wollen alles vergeben[7] und vergessen,“
aber da sahen sie auf einmal wieder jenen seltsam[8]
20 spöttischen Zug[9] um seinen Mund und jenes
seltsame Lächeln, und sie fanden den Menschen un=
angenehmer als je.[10]

„Es tut mir leid,“ sagte der Jäger, „daß ich Sie
diese Nacht da oben noch so spät stören mußte. Ich
25 konnte nicht wissen, daß Sie schliefen wie die Hasen

---

[1] kostbar, precious. [2] das Gut, *here:* possession. [3] wenn
auch nicht verdientes, even though not (as a) deserved (present).
[4] mitsingen, join in singing. [5] hinabsteigen, descend. [6] grüßen,
greet. [7] vergeben = verzeihen, forgive. [8] seltsam, strange (ly),
odd (ly). [9] der Zug, feature, trait, *here:* expression. [10] je,
ever, at any time.

(*hares*), das heißt, mit offenen Augen. Ich ging sehr leise, und dennoch hörten Sie mich."

Dann führte er die Freunde in das Wohnzimmer,[1] wo die Alte schon mit dem Frühstück beschäftigt war. Der frische, kräftige Kaffee gab den Freunden neues Leben und neue Kraft. Schweigend genossen sie ihn. Nach dem Frühstück fragten sie den Jäger:

„Was schulden[2] wir?"

„Sie schulden mir nichts; keinen Pfennig schulden Sie mir," antwortete der Jäger.

„Aber wir schulden gewiß etwas für das Abend= essen, das Bett und das Frühstück," sprach Otto.

„Meine Herren," rief der Jäger, indem er an den Tisch trat, „ich kann nicht länger schweigen und darf nicht länger mit Ihnen spielen. Weder das eine noch das andere führt uns zur Wahrheit. Es ist Zeit, ein offenes Wort miteinander zu reden. Wäh= rend der ganzen Nacht lagen Sie in Furcht und Angst. Die Furcht kostet nichts, und die Angst kostet ebenfalls[3] nichts."

„Er hat recht," sagte Adolf.

„Nicht wahr,"[4] sprach der Jäger weiter, „ich irrte mich nicht? Ich bin in Ihren Augen ein Mörder."

„Ganz recht, mein Freund," sagte Adolf und klopfte ihm kräftig auf die Schulter. „Sie sind der rechte Sohn Ihres Vaters."

„Das verstehe ich nicht," antwortete der Jäger und wurde über und über rot. „Aber dies verspreche

---

[1] das Wohnzimmer, living room.   [2] schulden, owe.   [3] eben= falls, likewise.   [4] nicht wahr, is it not so (*or* true).

19

ich mir: nicht ohne sich[1] zu schämen,[1] sollen Sie
mein armes Haus verlassen.[2] Sehen Sie die alte
Frau dort? Sie brachte Ihnen gestern abend[3] das
Abendessen und heute morgen das Frühstück. Sie ist
5 meine Mutter. Sie hat keine Zähne mehr; auch
Ihre zweiunddreißig (*thirty-two*) werden Sie ver-
lieren, wenn Sie einmal siebzig (*seventy*) Jahre
zählen. Sie hat nur ein Auge, aber nur, weil die
Hand eines Diebes sie traf. Das geschah so: Ein
10 Dieb kam eines Tages in unser kleines Haus. Die
Mutter war allein. Der Dieb verlangte ihr Geld.
Da meine Mutter es ihm nicht geben wollte, schlug
er sie. Durch einen der Schläge verlor sie ein Auge.
Nun hören Sie, wie alles geschehen ist.

15 Gestern abend kam ich aus dem Walde und sah
Sie vor dem Fenster stehen. Ich stand schon hinter
Ihnen, als Sie in mein Wohnzimmer blickten und
über[4] mein armes Haus sprachen.[4] Eben wollte ich
zu Ihnen treten und Sie freundlich bitten ein-
20 zutreten, da sprachen Sie böse, harte Worte über
meine Mutter. Mein erster Gedanke war, Sie mit
meinem Stock zu Boden zu schlagen, denn ich war
böse und haßte Sie für Ihre harten Worte. Dann
aber kam mir plötzlich ein besserer Gedanke. Ich
25 dachte bei mir:

,Sie sollen alles Schreckliche empfinden,[5] alles, was
ich in diesem Augenblick selbst empfinde. Sie
glauben fest, daß ich ein Mörder bin, und so sollen

---

[1] sich schämen, be ashamed. [2] verlassen, leave. [3] gestern
abend, last night. [4] sprechen (über + *acc.*), speak (about).
[5] empfinden, feel, perceive.

20

Sie alle Furcht und alle Schrecken fühlen, kurz alles, was[1] Sie empfunden hätten, wenn ich ein Mörder wäre.«[1]

Das sollte Ihre Strafe sein. Daher lud ich Sie ein, über Nacht bei uns zu bleiben. Sie folgten mir ins Haus. Kaum waren Sie im Zimmer, da schloß ich die Tür schnell und eifrig ab. Dann sprach ich in seltsam spöttischem Ton zweideutige[2] Worte. Durch sonderbare Zweideutigkeiten[2] aller Art zwang ich Sie zu glauben, daß ich ein Mörder bin. Da mein Pferd krank war, mußte ich Sie oben oft stören.«

»So war also das kranke Pferd,« sprach Otto, »der Grund der Stimmen und Geräusche. Daher kamen Sie und baten uns, Ihnen einen Gefallen zu tun, und darum fragte Ihre Mutter: ,Wie geht's?‘«

»Auch das haben Sie gehört?« sagte der Jäger. »Meine zweideutigen Worte und der Zufall[3] haben meinem Erfolge besser gedient, als ich hoffen durfte.«

»Und der Schuß in der Nacht, war der auch Zufall?« fragte Adolf.

»Ach,« sagte der Jäger, »was wissen wir von Zufall? Vielleicht gibt es gar keinen. Der Schuß endete[4] das Leben des treuen, schönen Tieres. Es endete auch seine Schmerzen.[5] Vor wenigen Wochen hatte ich das herrliche Tier für einen teuren Preis[6] gekauft. Sie wissen den Rest. Es war ein

[1] was Sie empfunden hätten, wenn ich ein Mörder wäre, what you would have felt, if I were a murderer.   [2] zweideutig, ambiguous; die Zweideutigkeit, ambiguity.   [3] der Zufall, chance, accident.   [4] enden, end.   [5] der Schmerz, pain.   [6] der Preis, price.

großer Schmerz, das gute Tier tot zur Erde fallen
zu sehen."

„Also sind Sie nicht," fragte Adolf, „der Sohn
des . . .?" Er nannte wieder den Namen des
5 berüchtigten (*notorious*) Mörders.

„Um des Himmels willen, nein!" rief der Jäger
erschrocken; „wie kommen Sie zu einer solchen
Frage?"

„Ein alter Kalender oben im Dachzimmer," sagte
10 Otto, „gab uns Grund zu diesem schrecklichen Irr=
tum und füllte die Stunden der Nacht mit tausend
Schrecken und Angsten."

„Ich weiß nicht, was in dem Dachzimmer alles
liegen mag," sagte der Jäger; „ich habe es nicht
15 angesehen. Ich bin noch nicht lange in diesem Teil
des Landes und war gezwungen, mit meiner Mutter
in dieser Höhle zu wohnen. Ich höre, daß bald ein
neues Jägerhaus am Platze des alten stehen soll."

„Sie sind ein braver[1] Mann," rief Adolf und legte
20 seine Geldtasche auf den Tisch. „Nehmen Sie das
als Zeichen unserer hohen Achtung und als kleine
Beisteuer (*contribution*) zu einem neuen Pferd."

Otto wollte eben nach Art der Studenten ohne
Sorge um den nächsten Tag ebenfalls sein Geld auf
25 den Tisch legen, doch der Jäger schob Adolfs Geld=
tasche zurück und sprach:

„Ich nehme keinen Pfennig; es ist genug, wenn
wir einander vergeben."

---

[1] brav, honest, upright; good.

Die Geschichte von Kalif Storch.[1]

I

Der brave Kalif (*caliph*) Chasid zu (*at*) Bagdad
saß einmal an einem schönen Nachmittag[2] friedlich
und ruhig auf seinem Sofa; er hatte ein wenig geschlafen, denn es war ein heißer Tag, und er sah
nach seinem Schläfchen fröhlicher aus als je. Er [5]
rauchte[3] aus einer langen Pfeife[4] von Rosenholz,
trank hier und da ein wenig Kaffee und strich zufrieden seinen Bart,[5] wenn es ihm gut geschmeckt hatte.
Man sah, daß es dem Kalifen gut ging. Um diese
Stunde konnte man gut mit ihm reden, weil er [10]
dann immer mild und freundlich war. Daher besuchte sein Großvezier (*grand vizier*) Mansor ihn
jeden Tag um diese Zeit. An diesem Nachmittag
nun kam er auch, machte aber ein ernstes Gesicht.
Der Kalif nahm seine Pfeife ein wenig aus dem [15]
Mund und sprach:

„Großvezier, warum machst du ein so ernstes
Gesicht?"

Der Großvezier legte seine Arme über die Brust,
verneigte[6] sich grüßend vor seinem Herrn und ant- [20]
wortete: „Herr, ob ich ein ernstes Gesicht mache,

---

[1] der Storch, stork. [2] der Nachmittag, afternoon. [3] rauchen,
smoke. [4] die Pfeife, pipe. [5] der Bart, beard. [6] sich verneigen, (make a) bow, bend.

23

weiß ich nicht, aber da unten am Schloß steht ein
alter Mann, der hat so schöne Sachen, daß es mich
ärgert, nicht sehr viel Geld zu haben."

Der Kalif wollte seinem Großvezier schon lange
einen Gefallen tun und schickte einen Diener hinun=
ter (hinab), um den Alten zu holen. Bald kam der
Diener mit dem Alten zurück. Dieser war ein
kleiner, dicker Mann, schwarzbraun im Gesicht und
in alten schlechten Kleidern. In einem Kasten trug
er allerlei[1] Waren, Perlen, Ringe, Pistolen, Gläser
und Kämme. Der Kalif und sein Vezier sahen alles
aufmerksam an, und der Kalif kaufte endlich für sich
und Mansor schöne Pistolen, für die Frau des
Veziers aber einen Kamm. Als der Alte seinen
Kasten schon wieder zumachen wollte, fragte der
Kalif: „Sind in dieser Schublade (*drawer*) auch
noch allerlei Waren?" Der Alte zog die Schublade
heraus und zeigte darin eine Dose (*box*) mit einem
schwarzen Pulver[2] und ein Papier[3] mit einer
sonderbaren Schrift.[4] Weder der Kalif noch Mansor
konnte die seltsame Schrift lesen. „Ich bekam diese
zwei Stücke einmal in Mekka von einem Kauf=
mann,"[5] sagte der Alte. „Ich weiß nicht, was darin
ist. Ihr könnt sie zu einem billigen Preis kaufen;
ich kann nichts damit anfangen." Der Kalif hatte
alte Schriften gern, wenn[6] er sie auch nicht lesen
konnte.[6] Er kaufte das Papier mit der Schrift und

---

[1] allerlei, all sorts (*or* kinds) of (things). [2] das Pulver, powder. [3] das Papier, paper. [4] die Schrift, writing; document.
[5] der Kaufmann, merchant. [6] wenn er sie auch nicht lesen
konnte, even though he could not read them.

die Dose mit dem schwarzen Pulver und schickte den Alten fort.

Der Kalif aber dachte bei sich: „Ich will wissen, was in der Schrift geschrieben steht," und er fragte den Vezier: „Wer kann die Schrift lesen?" „Herr," antwortete dieser, „an der großen Moschee (*mosque*) wohnt ein Mann; er heißt Selim; er ist sehr klug und versteht alle Sprachen; laß ihn kommen; vielleicht kann er das Geheimnis dieser Schrift erklären."

Selim kam bald. „Selim," sprach zu ihm der Kalif, „Selim, man sagt mir, daß du klug bist. Sieh einmal diese Schrift an und sage mir, ob du sie lesen kannst. Wenn du es kannst, so bekommst du neue Kleider von mir; wenn du es nicht kannst, so bekommst du statt neuer Kleider zwölf (*twelve*) Ohrfeigen und fünfundzwanzig (*twenty-five*) Schläge auf die Fußsohlen (*soles*), weil man dich dann ohne Grund klug nennt." Selim verneigte sich und sprach: „Dein Wille geschehe,[1] o Herr!" Lange sah er die seltsame Schrift an; plötzlich rief er laut: „Das ist lateinisch,[2] o Herr, oder ich lasse mich hängen."[3] — „Sag', was darin steht," befahl der Kalif, „wenn es lateinisch ist."

Selim fing an zu übersetzen.[4] Er übersetzte: „Mensch, wenn du dieses findest, lobe Allah. Wer von diesem Pulver in der Dose schnupft (*takes a snuff*) und zugleich spricht, *Mutabor*, der kann sich in jedes Tier verwandeln[5] und versteht die Sprache

[1] dein Wille geschehe, thy will be done. [2] lateinisch, Latin.
[3] oder ich lasse mich hängen, or I'll be hanged. [4] übersetzen, translate. [5] sich verwandeln, be transformed; die Verwandlung, transformation.

25

der Tiere. Wenn er wieder in die Gestalt des
Menschen zurückkehren will, so muß er sich dreimal
gegen Osten[1] verneigen und *Mutabor* sprechen.
Aber paß gut auf und lache nicht, wenn du ver-
5 wandelt bist. Wenn du während der Verwandlung[2]
lachst, dann verschwindet[3] das Zauberwort,[4] und du
bleibst ein Tier."

Als Selim diese Worte gelesen und übersetzt
hatte, war der Kalif außerordentlich froh. Selim
10 mußte schwören,[5] niemand etwas von dem Geheimnis zu sagen. Der Kalif schenkte Selim schöne
Kleider und ließ ihn gehen. Zu dem Großvezier
aber sagte er: „Das nenne ich gut kaufen, Mansor!
Wie freue ich mich, ein Tier zu werden! Morgen
15 früh kommst du zu mir. Wir gehen dann miteinander aufs Feld, schnupfen ein wenig aus meiner
Dose und horchen, was die Tiere in der Luft und im
Wasser, im Wald und im Feld sprechen!"

II

Kaum hatte am nächsten Morgen der Kalif
20 Chasid sein Frühstück gegessen und seine Kleider
angelegt, als der Großvezier schon kam, um ihn, wie
befohlen, zu begleiten.[6] Der Kalif steckte die Dose
mit dem Zauberpulver in die Tasche, und nachdem
er seinen Dienern befohlen hatte zurückzubleiben,
25 machte er sich mit dem Großvezier ganz allein auf
den Weg.

[1] der Osten, east. [2] See note 5, page 25. [3] verschwinden,
disappear. [4] das Zauberwort, magic word. [5] schwören,
swear. [6] begleiten, accompany.

Sie gingen zuerst durch die weiten Gärten des
Kalifen und suchten ohne Erfolg nach lebenden
Tieren, um ihre Künste zu probieren (*test*). Der
Vezier riet nun seinem Herrn, weiter hinaus an
einen Teich (*pond*) zu gehen, wo er schon viele Tiere, 5
besonders[1] Störche, gesehen hatte. Besonders
Störche hatten durch ihr ernstes und wichtiges
Wesen[2] und ihr Geklapper (*chattering*) sein In=
teresse[3] gewonnen.

Der Kalif fand den Rat seines Veziers gut und 10
ging mit ihm nach dem Teich. Als sie dort ange=
kommen[4] waren, sahen sie einen Storch. Dieser
ging sehr ernst und eifrig auf und ab, suchte Frösche
(*frogs*) und klapperte hier und da etwas vor sich
hin.[5] Zugleich sahen sie auch weit oben in der Luft 15
einen anderen Storch nach diesem Teich fliegen.

„Ich wette (*wager*) meinen Bart, hoher Herr,"
sagte der Großvezier, „daß diese beiden Störche
jetzt miteinander sprechen. Wollen wir nicht Stör=
che werden?" 20

„Wohl[6] gesprochen!" antwortete der Kalif.
„Aber zunächst wollen wir noch einmal wiederholen,
wie man wieder Mensch wird. Richtig![7] Wir
verneigen uns dreimal gegen Osten und sagen
Mutabor, so bin ich wieder Kalif, und du bist wieder 25
Mensch. Aber mache alles richtig und lache um
Gottes willen nicht, sonst[8] sind wir verloren!"

[1] besonders, especially. [2] das Wesen, manner, appearance;
being, essence. [3] das Interesse, interest. [4] ankommen, arrive.
[5] vor sich hin, to himself. [6] wohl, well. [7] richtig, correct, accurate; *here:* that's it. [8] sonst, otherwise, or else.

Während der Kalif so sprach, sah er den anderen
Storch über ihrem Haupte[1] fliegen und sich langsam
zur Erde lassen. Schnell zog der Kalif die Dose aus
der Tasche, nahm ein Zauberpulver und reichte eins
5 dem Großvezier. Dieser schnupfte ebenfalls, und
beide riefen: *Mutabor!*

Da wurden ihre Beine dünn und rot. Die schönen
Schuhe des Kalifen und des Großveziers verwandel=
ten sich in häßliche Storchfüße, die Arme wurden
10 zu Flügeln,[2] die Hälse kamen aus den Schultern
und wurden einen Meter lang. Die Bärte waren
verschwunden und weiche Federn bedeckten[3] die
Körper.

„Ihr habt einen hübschen[4] Schnabel (*beak*), Herr
15 Großvezier," sprach nach langem Erstaunen[5] der
Kalif. „Beim Bart des Propheten, so etwas habe
ich in meinem Leben nicht gesehen."

„Danke bestens," antwortete der Großvezier, in=
dem er sich verneigte; „aber wenn ich es sagen darf,
20 so sind Eure Hoheit (*your highness*) als Storch bei=
nah noch hübscher denn als[6] Kalif. Aber kommt,
wenn es Euch recht ist, daß wir unsere Freunde dort
hören und erfahren, ob wir die Sprache der Störche
wirklich verstehen und sprechen können."

25 Indessen war der andere Storch auf der Erde an=
gekommen. Er putzte sich mit dem Schnabel seine
Füße, legte seine Federn ordentlich und ging auf den
ersten Storch los. Die beiden neuen Störche aber

---

[1] das Haupt, head. [2] der Flügel, wing. [3] bedecken, cover.
[4] hübsch, pretty. [5] das Erstaunen, astonishment, amazement.
[6] denn als, than as a.

eilten herbei und hörten zu ihrem Erstaunen die
folgenden Worte:

„Guten Morgen, Frau Langbein, so früh schon auf
der Wiese?"[1]

„Schönen Dank, Herr Langbein, ich habe mir ein 5
kleines Frühstück geholt. Wünscht Ihr vielleicht
einen Froschschenkel (*frog's leg*)?"

„Besten Dank; habe heute gar keinen Appetit.
Ich komme auch wegen etwas ganz anderem auf die
Wiese. Ich soll heute vor den Gästen meines Vaters 10
tanzen, und da will ich hier ein wenig üben.[2]
Übung[2] macht den Meister."

Zugleich schritt[3] die junge Störchin mit seltsamen
Bewegungen[4] durch das Feld. Der Kalif und Mansor sahen sie erstaunt an. Als sie aber auf einem Fuß 15
stand und zugleich allerlei drollige (*droll*) Bewegungen mit den Flügeln machte, da mußten sie beide
laut lachen, und ein unaufhaltsames (*irresistible*)
Lachen brach[5] aus ihren Schnäbeln hervor.[5] Nach
einer Weile erholten[6] sie sich wieder, der Kalif 20
zuerst.

„Das war eine große Freude," sprach er, „aber
die dummen Tiere sind fortgeflogen, sonst hätten[7]
sie gewiß noch gesungen."[7]

Aber jetzt erinnerte sich der Großvezier plötzlich, 25
daß es verboten war, während der Verwandlung zu
lachen. Er sagte es dem Kalifen. „Um des Him-

---

[1] die Wiese, meadow.   [2] üben, exercise, practice; *noun:* die
Übung.   [3] schreiten, stride, step.   [4] die Bewegung, movement,
motion.   [5] hervorbrechen, break forth.   [6] sich erholen, recover.
[7] hätten gesungen, would have sung.

mels willen!" rief dieser. „Erinnerst du dich des
dummen Wortes? Ich habe es vergessen."

„Wir müssen uns dreimal gegen Osten verneigen
und zugleich sprechen: *Mu — Mu — Mu —*"
5 Sie verneigten sich wieder und wieder gegen
Osten, so daß ihre Schnäbel fast bis zur Erde reichten.
Aber so oft und laut der Kalif *Mu — Mu —* rief,
das Zauberwort hatten sie vergessen. Es war und
blieb verschwunden, und der arme Kalif und sein
10 Vezier waren und blieben Störche.

III

Traurig wanderten sie durch die Wiesen und Felder. Sie wußten gar nicht, was sie in ihrer Not
anfangen sollten. Aus ihrer Storchenhaut konnten
sie nicht heraus. In die Stadt zurückgehen konnten
15 sie auch nicht.

So wanderten sie mehrere Tage umher und
ernährten[1] sich während dieser traurigen Zeit mit
Früchten.[2] Aber wegen der langen Schnäbel konnten sie Früchte nicht gut essen, und auf Frösche
20 (*frogs*) hatten sie gar keinen Appetit. Ihr einziger
Trost in diesem traurigen Zustande war, daß sie
fliegen konnten, und so flogen sie auf die Dächer von
Bagdad, um zu sehen, was in jener Stadt geschah.

In den ersten Tagen merkten sie, daß die Leute
25 auf den Straßen von Bagdad unruhig waren. Aber
etwa am vierten Tage nach ihrer Verwandlung

---

[1] sich ernähren, nourish, feed, support oneself. [2] die Frucht,
fruit.

30

saßen sie auf dem Schloß des Kalifen, da sahen sie
unten auf der Straße einen prächtigen[1] Zug. Ein
Reiter in einem prächtigen, goldgestickten (*embroidered with gold*), kostbaren Mantel saß auf
einem schönen Pferde. Treue Diener folgten ihm, 5
halb Bagdad war auf den Straßen, und alle
schrieen: „Heil[2] Mirza, Heil dem Herrn von Bag=
dad!" Da sahen die beiden Störche auf dem Dache
des Schlosses einander an, und Kalif Chasid sprach:

„Weißt du jetzt, warum wir Störche sind, Groß= 10
vezier? Dieser Mirza ist der Sohn meines Feindes,[3]
des mächtigen[4] Zauberers[5] Kaschur. In einer
bösen Stunde schwor er mir Rache.[6] Aber noch habe
ich die Hoffnung nicht verloren. Komm mit mir,
wir wollen zum Grabe des Propheten wandern; 15
vielleicht kann man an diesem Orte den bösen
Zauber lösen."[7]

Sie bewegten die Flügel und flogen von dem
Dache des Schlosses nach Medina.

Mit dem Fliegen wollte es aber gar nicht gut 20
gehen, denn die beiden Störche hatten das Fliegen
noch wenig geübt.

„O Herr," sprach nach ein paar Stunden der
Großvezier, „ich kann nicht weiter; Ihr fliegt viel
zu schnell. Auch ist es schon Abend, und wir müssen 25
ohne Zweifel ein Bett für die Nacht suchen."

Chasid tat, was sein Diener geraten hatte; und

---

[1] prächtig, splendid, magnificent. [2] Heil! hail! *noun:* welfare, salvation. [3] der Feind, enemy. [4] mächtig, mighty, powerful. [5] der Zauberer, sorcerer, magician. [6] die Rache, revenge. [7] lösen, solve, break, loosen.

31

da er unten im Tale[1] eine Ruine[2] fah, so flogen fie
in das Tal. Der Ort, wo fie für diefe Nacht bleiben
wollten, fchien vor langer Zeit einmal ein Schloß
gewefen zu fein. Mehrere prächtige Räume[3]
5 zeigten noch, wie herrlich das Schloß einft[4] gewefen
war.

Der Kalif und fein Großvezier gingen durch alle
Räume und fuchten ein trockenes[5] Plätzchen.
Plötzlich blieb der Storch Manfor ftehen. „Herr,"
10 flüfterte er leife, „es ift gewiß nicht weife, fich vor
böfen Geiftern zu fürchten. Aber mir[6] ift ganz
fonderbar zumute,[6] denn neben uns im Zimmer hat
jemand gefeufzt."[7] Der Kalif blieb nun auch ftehen
und hörte wirklich ein leifes Seufzen,[7] Klagen und
15 Weinen.

Der Vezier faßte den Kalifen beim Flügel und
bat ihn, fich nicht in neue Gefahren zu ftürzen.
Der Kalif aber hatte großen Mut[6] und ein tapferes
Herz. Er eilte weiter, um zu erfahren, woher[8] das
20 Seufzen, Klagen und Weinen kam.

Bald kam er an eine Tür und horchte. Er ftieß
fie mit dem Schnabel auf, blieb aber erftaunt
ftehen. In einem faft dunklen Zimmer fah er
eine große Eule (*owl*) am Boden fitzen. Dicke
25 Tränen rollten aus ihren großen, runden[9] Augen,
und mit leifer Stimme weinte, klagte und feufzte

---

[1] das Tal, valley. [2] die Ruine, ruin. [3] der Raum, room.
[4] einft, once; formerly. [5] trocken, dry; *verb:* trocknen.
[6] der Mut, courage; mir ift ganz fonderbar zumute, I feel
quite peculiar. [7] feufzen, sigh; das Seufzen, sighing. [8] wo=
her, whence, from where. [9] rund, round.

sie vor sich hin. Als sie aber den Kalifen und seinen
Großvezier sah, schrie sie laut vor Freude.[1] Mit den
Flügeln trocknete sie ihre Tränen und rief in gutem
Arabisch (*Arabic*):

„Willkommen,[2] ihr Störche, Ihr seid mir ein gutes
Zeichen; nun wird man mich retten, denn durch
Störche wird mir großes Glück kommen, hat man
mir einst gesagt."

Als der Kalif sich von seinem Erstaunen erholt
hatte, verneigte er sich mit seinem langen Halse,
brachte seine dünnen Füße in eine drollige Stellung[3]
und sprach:

„Eule, nach deinen Worten darf ich glauben, daß
du ebenso leidest wie wir. Aber ach! Du hoffst
ohne Grund, daß wir dich retten können. Du wirst
selbst erkennen, daß wir nicht helfen können, wenn
du unsere Geschichte hörst." Die Eule bat den
Kalifen zu erzählen, und dieser erzählte, was wir
schon wissen.

IV

Als der Kalif der Eule seine Geschichte erzählt
hatte, dankte sie ihm und sagte:

„Höre auch meine Geschichte, und du wirst wissen,
daß ich nicht weniger unglücklich bin als du. Mein
Vater ist der König von Indien (*India*). Ich, seine
einzige unglückliche Tochter, heiße Lusa. Jener

---

[1] vor Freude, with joy.　[2] willkommen, welcome.　[3] die
Stellung, position; situation.

33

Zauberer Kaschu, euer mächtiger Feind, hat auch mich ins Unglück gestürzt.

Er kam eines Tages zu meinem Vater und wünschte mich zur Frau für seinen Sohn Mirza. 5 Mein Vater aber wurde böse und ließ ihn die Treppe hinunterwerfen. Der Zauberer Kaschur wußte in anderer Gestalt wieder ins Schloß zu kommen. Als ich einst in meinem Garten etwas aß, brachte er mir in der Gestalt eines schwarzen Dieners ein Glas 10 Wasser. Ich trank, und im nächsten Augenblick war ich verwandelt. Vor Schrecken[1] fiel ich zur Erde. Er brachte mich in diese alte Ruine und rief mir mit schrecklicher Stimme zu:

,Da sollst du bleiben, selbst[2] von den Tieren 15 gehaßt, bis an dein Ende, oder bis jemand aus freiem Willen dich, selbst[2] in dieser schrecklichen Gestalt, zur Frau wünscht. So nehme ich Rache an dir und deinem stolzen Vater.'

Seit jener Zeit sind viele Monate[3] vergangen.[4] 20 Einsam und traurig lebe ich in dieser alten Ruine, vergessen von der Welt, selbst von den Tieren gehaßt. Die schöne Natur ist vor mir verschlossen, denn ich bin blind am Tage, und nur wenn der Mond[5] sein blasses Licht über die Ruine wirft, kann 25 ich sehen."

Die Eule hatte geendet und trocknete sich mit dem Flügel wieder die Augen, denn sie hatte bitterlich geweint.

---

[1] vor Schrecken, with fright. [2] selbst, *here:* even. [3] der Monat, month. [4] vergehen, pass (of time). [5] der Mond, moon.

34

Der Kalif hatte die Erzählung der Prinzessin ge=
hört und schwieg. „Wenn ich mich nicht irre,“
sagte er jetzt, „so ist zwischen deinem und unserem
Unglück eine geheime Verbindung[1]; aber wo diese
geheime Verbindung liegt, weiß ich nicht.“ 5

Die Eule antwortete ihm: „Herr, wie es auch sein
mag, es scheint mir so, denn eine weise Frau hat
mir einst in meiner frühen Jugend gesagt, daß ein
Storch mir großes Glück bringen wird, und ich
weiß vielleicht, wie wir uns retten können.“ Der 10
Kalif war sehr erstaunt und fragte: „Auf welche
Weise?“[2]

„Der Zauberer,“ sagte sie, „kommt jeden Monat
in diese Ruinen. Nicht weit von hier ist ein wei=
ter Raum. In diesem Raum feiert er mit seinen 15
Freunden ein großes Fest. Ich habe oft gehorcht.
Sie erzählen dann einander ihre bösen Werke[3];
vielleicht wiederholt er das schwierige[4] lateinische
Zauberwort, und auf diese Weise sind wir dann
gerettet.“ 20

„O teuerste Prinzessin,“ rief der Kalif, „sage mir,
wann kommt er, und wo ist der Raum?“

Die Eule schwieg einen Augenblick und sprach
dann: „Seid mir nicht böse, aber nur auf eine Weise
kann ich euren Wunsch erfüllen.“[5] — „Sprich, 25
sprich!“ schrie der Kalif. „Befiehl, jeder Wunsch ist
mir recht.“

---

[1] die Verbindung, connection. [2] die Weise, manner, way;
auf welche Weise, in what way. [3] das Werk, *here:* deed.
[4] schwierig, difficult. [5] erfüllen, fulfill.

„Ich möchte[1] auch gerne zugleich frei sein; dies
kann aber nur geschehen, wenn einer von euch mich
zur Frau nimmt."

Die Störche schienen über diese Worte etwas er=
5 staunt zu sein, und der Kalif bat seinen Diener, ein
wenig mit ihm hinauszugehen.

„Großvezier," sprach vor der Tür der Kalif,
„das ist eine dumme Sache, aber Ihr könnt den
Wunsch der Eule erfüllen."

10 „So?" antwortete dieser. „Was wird meine
Frau sagen, wenn ich nach Hause komme? Auch bin
ich ein alter Mann, und Ihr seid noch jung, habt
noch keine Frau, und könnt leicht die junge schöne
Prinzessin zur Frau nehmen."

15 „Das ist es eben,"[2] seufzte der Kalif, indem er
traurig die Flügel hängen ließ. „Woher weiß ich,
daß sie jung und schön ist? Das heißt die Katze im
Sack kaufen."[3]

Sie redeten noch lange hin und her, endlich aber,
20 als der Kalif sah, daß sein Vezier lieber Storch
bleiben als die Eule heiraten wollte, entschloß[4]
er sich, den Wunsch der Prinzessin selbst zu erfüllen.
Die Eule freute sich sehr und sprach: „Wahrschein=
lich werden die Zauberer in dieser Nacht kommen."

25 Sie verließ mit den Störchen das Zimmer, um
sie in jenen weiten Raum zu führen; sie schritten
lange durch dunkle Zimmer; endlich schimmerte
hinter einer alten Mauer[5] ein Licht. Als sie an der

---

[1] ich möchte gerne, I should like to. [2] das ist es eben, that's
just the trouble. [3] die Katze im Sack kaufen, buy a pig in a
poke. [4] sich entschließen, resolve, determine. [5] die Mauer, wall.

36

Mauer angekommen waren, riet ihnen die Eule, ganz ruhig zu sein. Aus ihrer Ecke konnten sie den weiten Raum genau sehen. In der Mitte stand ein runder Tisch mit viel kostbarem Essen (*food*). Um den Tisch stand ein rundes Sofa. Acht Männer 5 saßen darauf. In einem dieser Männer erkannten die Störche den alten Mann mit dem Zauberpulver. Dieser begann, den anderen Zauberern von seinen bösen Werken zu erzählen. Er erzählte unter anderen auch die Geschichte des Kalifen und seines 10 Veziers.

V

„Was für ein[1] Wort hast du ihnen gegeben?" fragte ein anderer Zauberer. — „Ein schwieriges lateinisches Wort, das schwierigste, das ich finden konnte. Es heißt *Mutabor*." 15

Als die Störche an der alten Mauer dieses hörten, wußten sie vor Freude nicht, was sie tun sollten. Sie schritten auf ihren langen Füßen so schnell nach dem Tor der Ruine, daß die Eule kaum folgen konnte. Dort sprach der Kalif gerührt zu der Eule: 20 „Retterin[2] meines Lebens und des Lebens meines Freundes, nimm zum ewigen,[3] ewigen Dank mich zum Manne an." Dann aber wandte er sich nach Osten. Dreimal verneigten sich die Störche mit ihren langen Hälsen nach dem Osten. Dann riefen 25 sie richtig das schwierige Wort „*Mutabor*," und im

[1] was für ein, what kind of. [2] die Retterin, rescuer, deliverer. [3] ewig, everlasting, eternal.

37

Augenblick waren sie verwandelt, und in der hohen
Freude des neu geschenkten Lebens lagen Herr und
Diener lachend und weinend einander in den
Armen.

5 Als sie sich von der ersten Freude erholt hatten,
stand eine wunderschöne Dame in herrlichen Klei=
dern vor ihnen. „Erkennt Ihr Eure Eule nicht
mehr?" fragte sie. Sie war es wirklich. Der Kalif
war von ihrer Schönheit so gerührt, daß er rief:
10 „Es ist mein ewiges Glück, daß ich Storch ge=
wesen bin."

Die drei zogen nun miteinander nach Bagdad.
Der Kalif fand in seinen Kleidern nicht nur das
Zauberpulver, sondern auch seine Geldtasche. Er
15 kaufte daher im nächsten Dorfe, was sie für ihre
Reise brauchten, und so kamen sie bald an die Tore
von Bagdad. Dort waren die Leute sehr erstaunt.
Sie hatten geglaubt, daß der Kalif tot war, und
freuten sich daher sehr, ihren geliebten[1] Herrn
20 wieder zu haben.

Um so mehr[2] aber haßten sie den bösen Mirza.
Sie zogen in das Schloß und fingen den alten Zau=
berer und seinen Sohn. Den Alten schickte der Kalif
in das Zimmer, wo die Prinzessin als Eule ge=
25 wohnt hatte, und ließ ihn dort hängen. Der Sohn
aber verstand nichts von den bösen Künsten seines
Vaters; daher mußte er wählen, ob er sterben oder
schnupfen wollte. Er wählte das Pulver, und das

---

[1] lieben, love; geliebt, *here:* beloved. [2] um so mehr, so
much the more.

38

Zauberwort des Kalifen verwandelte ihn in einen
Storch. Der Kalif ließ ihn in einem eisernen Käfig
(*iron cage*) in seinen Garten tragen.

Lange und glücklich lebte Kalif Chasid mit seiner
Frau, der Prinzessin; seine fröhlichsten Stunden 5
waren immer die, wenn ihn der Großvezier am
Nachmittag besuchte; dann sprachen sie oft von der
Geschichte mit den Störchen, und wenn der Kalif
recht fröhlich war, dann ahmte[1] er den Großvezier
nach,[1] wie er als Storch aussah. Er schritt dann mit 10
seinen dünnen Beinen ernst im Zimmer auf und ab,
klapperte vor sich hin, bewegte die Arme wie Flügel
und zeigte, wie der Großvezier sich nach Osten verneigt und *Mu — Mu —* gerufen hatte.

Für die Frau des Kalifen und ihre Kinder war 15
die Nachahmung[1] eine große Freude. Wenn aber
der Kalif zu lange klapperte und zu laut *Mu —
Mu —* schrie, dann flüsterte der Vezier: „Genug,
sonst sage ich der Frau des Kalifen, was wir damals
vor der Tür der Prinzessin Eule gesprochen haben." 20

[1] nachahmen, imitate, copy; die Nachahmung, imitation.

LIST OF IDIOMS IN ORDER OF OCCURRENCE

(Numbers refer to pages)

Alle fünf!

RETOLD AND EDITED AFTER THE GERMAN OF
HELENE STÖKL

BY

PETER HAGBOLDT
The University of Chicago

Adding 95 words and 17 idioms to the 960 words
and 107 idioms used in Booklets I–IV
Total, about 1055 words of high frequency
and 124 common idioms

BOOK FIVE — ALTERNATE

D. C. HEATH AND COMPANY
BOSTON

„Alle fünf!" sprach der Doktor leise und gerührt.

Alle fünf!

I

Über Nacht war der Winter gekommen. Ganz
heimlich, während alles schlief, war er gekommen
und hatte die Straßen und Gärten der Stadt mit
Flocken gefüllt, zur großen Freude der Kinder.
Diese hatten ihren guten Freund, den Schnee, so 5
früh im Jahr kaum erwartet und waren sehr glücklich; aber für die Eltern[1] waren Schnee und Eis
keine Freude, denn das Gehen in dem weichen,
hohen Schnee war mühsam[2] und schwer.

Von Zeit zu Zeit ein ärgerliches Wort über das 10
schlechte Wetter vor sich hinsprechend, ging Doktor
Brandt, ein kleiner Mann von etwa fünfzig (*fifty*)
Jahren mit einem guten Gesicht, seinen Weg mühsam durch den dichten Schnee.

„Schämst du dich nicht, du dicker Junge, dich von 15
dem kleinen Mädchen ziehen zu lassen?" rief der
Doktor jetzt einem dicken, starken Knaben[3] zu. Der
Junge saß ruhig auf einem Schlitten (*sled*) und
ließ sich von seiner viel kleineren Schwester ziehen. Sie zog den Schlitten an einem Strick (*rope*), 20

[1] die Eltern, parents. [2] mühsam, painstaking; toilsome.
[3] der Knabe = der Junge, boy, lad.

und der Strick schnitt tief in ihre zarte[1] Schulter.
„Marsch, hinunter,[2] und laß sie hinauf! Wie lange
dauert es noch?" Da der Knabe ruhig sitzen blieb,
schob der Doktor ihn von dem Schlitten hinunter
5 und half dem kleinen Mädchen hinauf. „So, nun
vorwärts!"[3] rief er dann.

Er warf dem Knaben eine Handvoll Bonbons
zu. Der Junge lachte fröhlich, und der Doktor sah
mit Freude, wie der kleine Schlitten mit seinem
10 neuen Pferde leicht und schnell über den Schnee
glitt.[4]

„Halt, wie geht es deinem Vater?" rief der Dok=
tor bald darauf einem kleinen Mädchen in alten
schlechten Kleidern zu. Das Mädchen hatte ein
15 Kind auf dem Arm. Dieses war mit dicken Decken
und Tüchern bedeckt. „Ist dein Vater schon wieder
wohl und aus dem Bett? Nun, das ist recht. Er
soll aber das Zimmer noch nicht verlassen. Sage
ihm, daß ich morgen nach ihm sehen werde. Da,
20 nimm das für dich und das Kleine." Er griff mit
der Hand in die Tasche, wo noch viele Bonbons
bereit lagen. „Doktorbonbons" nannte der Apo=
theker[5] das süße Zuckerwerk.[6] Der gute Doktor
ging jeden Tag in die Apotheke,[5] um Zuckerwerk zu
25 kaufen, da er Kinder sehr liebte und dennoch selbst
keine hatte.

---

[1] zart, tender. [2] marsch, hinunter, (march) hurry up,
get down. [3] vorwärts, forward, onward. [4] gleiten, glide,
slide. [5] der Apotheker, druggist, pharmacist; die Apotheke,
drugstore, pharmacy. [6] das Zuckerwerk, confectionery,
candy.

Der Doktor war indessen vor einem einzeln=
stehenden[1] freundlichen Hause der Vorstadt (*suburb*)
angekommen. Er trat in das Haus und kam in die
Küche.[2]

Ein Häufchen von fünf Kindern stand vor dem 5
Herd[3] und wartete.

„Nun, was tut ihr da, daß ihr alle zusammen
seid wie die jungen Vögel im Nest?" rief der Doktor,
indem er Hut und Stock von sich legte und sich den
Schnee von den Füßen klopfte. 10

„Wir warten, bis unsere Äpfel gebraten sind,"
riefen die Kinder.

„So? Dann vergeßt nicht, mir auch einen zu
geben. Ist eure Mutter im Zimmer?" Er war=
tete nicht, bis die Kinder antworteten, sondern 15
klopfte kurz an die Tür und öffnete.

Die Gestalt einer feinen, schlanken[4] Frau stand
auf. Sie hatte am Fenster vor einem Tisch ge=
sessen. Auf dem Tisch lagen allerlei Sachen zum
Zeichnen.[5] Das volle braune Haar und die leben= 20
digen, schönen Augen ließen sie jünger aussehen,
als der schwache Körper und die Züge des blassen
Gesichtes zu beweisen schienen. Doch konnte sie
nicht älter sein als etwa fünfunddreißig (*thirty-five*)
Jahre. 25

Der Doktor war ganz plötzlich ins Zimmer ge=
treten, und nun flog ein tiefes Rot über die Backen

---

[1] einzeln, single, separate; einzelnstehend, isolated, detached.
[2] die Küche, kitchen. [3] der Herd, stove; hearth, fireplace.
[4] schlank, slender. [5] zeichnen, draw, sketch; zum Zeichnen, for
sketching (drawing).

der Frau und zeichnete[1] sich scharf auf den Backen=
knochen[2] ab.[1] Ein starker Husten (*cough*) zwang sie,
mit der Begrüßung[3] des Doktors zu warten.

Der Arzt hatte ihr Aussehen[4] mit schnellem Blick
5 erkannt. „Warum haben Sie nicht früher nach mir
geschickt, wenn Sie krank sind?"

„Ich hoffte ganz bestimmt,[5] schnell besser zu wer=
den," antwortete die schlanke Frau schwer atmend.

„Es scheint aber nicht so," sprach der Doktor vor
10 sich hin. „Nun, wir werden gleich sehen." Er
stellte[6] ein paar kurze, bestimmte Fragen[6] an die
Kranke,[7] horchte und klopfte eifrig und aufmerksam
an ihr umher. Als er geendet hatte, zeigte sein
Gesicht einen ernsten Ausdruck.[8]

15 Sie warf einen fragenden Blick auf ihn, dann
sagte sie mühsam lächelnd: „Sie finden mich kränker,
als Sie gedacht hatten?"

„Ich finde Sie sehr krank," sagte der Arzt. Der
Ausdruck seines Gesichtes hatte sich nicht geändert.
20 „Sie müssen sich sogleich niederlegen. Vollständige[9]
Ruhe ist Ihnen durchaus[10] nötig."

„Ich kann jetzt nicht an Ruhe denken," antwortete
sie ernst. Wir sind schon im November. In vier=
zehn (*fourteen*) Tagen müssen die Zeichnungen[11]
25 fertig sein. Das Zeichnen für die großen Zeitungen

---

[1] sich abzeichnen, be outlined.   [2] der Backenknochen, cheekbone.   [3] die Begrüßung, greeting; welcome.   [4] das Aussehen,
look, appearance.   [5] bestimmt, definite(ly), concise(ly).   [6] eine
Frage stellen, ask a question.   [7] die Kranke, patient.   [8] der
Ausdruck, expression.   [9] vollständig = vollkommen, complete(ly).
[10] durchaus, absolutely, thoroughly.   [11] die Zeichnung, drawing.

4

und Zeitschriften[1] dauert so lange und ist so mühsam. Da, sehen Sie," sie nahm ein paar Zeichnungen vom Tische und zeigte sie dem Doktor,
„diese Zeichnung ist für den Rahmen eines Weih-
nachtsgedichtes.[2] Hier dieses kleine Haus mit der 5
Weihnachtsgarbe (*Christmas sheaf*) auf dem Dach
und dem Weihnachtsbaum[2] und den Kinderköp-
fen sollen Zeichnungen zu Weihnachtserzählungen[2]
werden."

„Sie dürfen keinen Strich, keinen einzigen Strich 10
mehr an diesen Sachen zeichnen," sagte der Doktor,
die Zeichnungen rauh[3] auf den Tisch zurückschie-
bend.

„Aber sie müssen noch vor Weihnachten[2] fertig
werden." 15

„Andere werden die Arbeit tun."

„Das ist es eben; ich verliere meine Zeitschriften
und kann nichts verdienen und mich nicht ernähren.
Nein, Herr Doktor, das geht nicht. Reiche Leute
können sich erlauben,[4] krank zu sein, arme nicht." 20

Sie hatte ihre letzten Worte in leichtem Tone
gesprochen, ohne den ängstlichen[5] Ausdruck in ihren
Augen zu verlieren.

„Auch arme Leute sterben," sagte der Doktor,
ohne sie anzusehen. 25

---

[1] die Zeitschrift, periodical, magazine. [2] das Weihnachtsgedicht, Christmas poem; der Weihnachtsbaum, Christmas tree;
die Weihnachtserzählung, Christmas story; Weihnachten,
Christmas. [3] rauh, rough(ly), brusque(ly). [4] erlauben, allow,
permit; sich erlauben, allow oneself; afford. [5] ängstlich, anxious, uneasy, timid.

5

„So meinen Sie, daß ich sterben muß?"

„Habe ich das gesagt?" antwortete der Doktor.

„Nicht mit den Lippen,[1] aber mit den Augen."
Plötzlich faßte sie seine Hände und sagte, ängstlich
5 bittend: „Sagen Sie nicht, daß ich sterben muß!
Ich darf nicht sterben. Um meiner Kinder willen
nicht. Ich habe fünf, und da ihr Vater tot ist, muß
ich für sie sorgen."

„Sie haben Vermögen?"[2] fragte der Doktor.

10 „Nein, Vermögen habe ich nicht."

„Keine Verwandten?"

„Verwandte habe ich auch nicht."

„Keine Bekannten[3] oder Freunde?"

„Weder Vermögen noch Verwandte noch Be=
15 kannte. Solange ich lebe und atme, stehe ich zwi=
schen den Kindern und der Not. Wenn ich sterbe —"

„Sie müssen sich vollständige Ruhe erlauben, dann
werden Sie sich erholen und bald wieder wohl und
durchaus gesund[4] werden."

20 „Wie kann ich das? Muß ich mich nicht ernähren
und Brot für alle verdienen? Aber ich werde bald
wieder wohl und gesund werden, Herr Doktor, ganz
bestimmt. Der Wille zum Leben tut viel, und ich
will leben. Nicht sehr lange, nur einige Jahre noch,
25 bis meine Kinder sich selbst helfen können."

Der Doktor schüttelte[5] den Kopf.

„Sie sind erfahrener und kennen die Welt besser

---

[1] die Lippe, lip. [2] das Vermögen, means, fortune. [3] der
Bekannte, acquaintance. [4] gesund, healthy, sound, well.
[5] schütteln, shake; er schüttelte den Kopf, he shook his head.

als ich, Herr Doktor. Warum schütteln Sie den
Kopf? Sagen Sie mir, was wird mit meinen
Kindern geschehen, wenn ich jetzt von ihnen muß?"

Der Doktor trocknete sich den Schweiß[1] von der
Stirn. „Sie haben Heimatsrecht[2] hier?"   5

„Mein Mann hatte Heimatsrecht, ich nicht."

„Die Gemeinde muß für Ihre Kinder sorgen.
Eins der größeren kommt vielleicht in das Waisen=
haus (*orphan asylum*), das Kleinste vielleicht ins
Kinderheim,[3] die anderen kommen für geringes[4]   10
Geld in die Familien armer Leute."

Sie drückte die Lippen zusammen, dann sagte sie
ruhig: „Sie sehen, daß ich nicht sterben darf. Oder
glauben Sie wirklich, daß meine zarten Kinder über=
haupt[5] leben können, wenn sie einzeln in fremde   15
Familien kommen? Nein, das kann Gott nicht
wollen. Aber ich will bestimmt tun, was Sie be=
fehlen, Herr Doktor. Wenn diese Zeichnungen
fertig sind, will ich mich niederlegen, ordentlich
ruhen und mich pflegen.[6] Sind Sie damit zu=   20
frieden?"

„Wenn Pflege[6] nicht zu spät kommt," wollte er
sagen, aber er konnte die Worte überhaupt nicht
über die Lippen bringen. Er drückte der Kranken
die Hand[7] und verließ eilig das Haus. Das Häuf=   25

---

[1] der Schweiß, sweat, perspiration. [2] die Heimat, home,
native place; das Heimatsrecht, right of domicile. [3] das Kinderheim, children's home. [4] gering, slight, little. [5] überhaupt,
at all. [6] pflegen, nurse, take care of; die Pflege, care, nurs-
ing. [7] er drückte der Kranken die Hand, he pressed the patient's hand.

7

chen von Kindern am Herde in der Küche sah er
dieses Mal nicht.

Auf der Straße hörte er eine Kinderstimme:
„Herr Doktor, Herr Doktor, hier ist Ihr Apfel!" Er
5 blieb stehen und wartete, bis das Kind, ein Knabe
von etwa neun (*nine*) Jahren, vor ihm stand. „Iß
den Apfel nur selbst, mein Junge!" Er strich ihm
freundlich über das blonde Haar. „Oder gib ihn
deiner Mutter; und pflege sie gut, hörst du, und
10 sorge, daß sie nicht zu viel arbeitet. Wer weiß, wie
lange —"

Er sprach den Satz[1] nicht zu Ende,[2] aber als er
noch einmal zurückblickte, sah er den Knaben noch
immer in der Mitte der Straße stehen. Er hielt den
15 Apfel in der Hand und sah ihn aus großen Kinder=
augen ernst und fragend an.

II

Nach einem Tage voller Arbeit[3] und Sorge ging
Doktor Brandt, den Rock fest um sich geschlagen,[4]
durch Wind und Wetter nach Hause. Der Novem=
20 ber hatte, wie jedes Jahr, Krankheit[5] und Tod ge=
bracht. Die scharfe Kälte[6] hatte sich ihm in Haar
und Kleider gesetzt, während der feuchte,[7] schnei=
dende Wind ihm die Zigarre zwischen den Lippen
auszulöschen (*extinguish*) versuchte. Er atmete

---

[1] der Satz, sentence.   [2] einen Satz zu Ende sprechen, finish
a sentence.   [3] voller Arbeit, full of work.   [4] geschlagen, *here:*
wrapped.   [5] die Krankheit, sickness, illness.   [6] die Kälte, cold-
(ness).   [7] feucht, moist, humid, damp.

leichter, als er endlich in einem angenehmen,
warmen Zimmer seines Hauses stand.

Als er sich von der Kälte und von dem feuchten
Winde ein wenig erholt hatte, rief er: „Christine,
helfen Sie mir doch mit den Schuhen. Sie sitzen 5
fest. Solch ein Wetter, diese Kälte, dieser feuchte
Wind! Ich glaube, es ist nichts trocken an mir.
Stellen Sie die Schuhe an den Herd, aber nicht zu
nah; den Mantel können Sie etwas näher ans
Feuer hängen. Ist das Abendessen fertig?" 10

„Das Fleisch steht schon auf dem Tisch."

„Na,[1] das ist recht, ich bin hungrig wie ein Wolf."
Eben wollte der Doktor die Tür des Eßzimmers
öffnen, da klingelte[2] es plötzlich laut.

„Donnerwetter,"[3] rief der Doktor. „Es klingelt. 15
Ich hoffe, niemand kommt. Das weiß ich aber bestimmt, wer es auch sein mag, dieses Mal gehe ich
nicht. Ein Arzt ist auch ein Mensch, und ich habe
meinen Teil für heute getan."

Er machte die Haustür schnell auf. Ein Knabe 20
stand vor der Tür und wäre[4] fast rückwärts[5] die
Treppe hinunter gefallen.[4] „Na, kannst du nicht
aufpassen?" rief der Doktor rauh; „was gibt es
denn?"

Da der Knabe nicht antwortete, sondern nur 25
schwer atmend auf der Treppe stand, wandte der
Doktor den Kopf des Knaben zum Licht. „Was, du
bist es?" sagte er auf einmal wieder freundlich, als

[1] na, well. [2] klingeln, ring; es klingelt, there is a ring at
the door. [3] Donnerwetter, confound it. [4] wäre ... gefallen,
would (might) have fallen. [5] rückwärts, backwards.

er den Knaben erkannte, denn vor kurzer Zeit hatte
dieser versucht, dem Doktor einen gebratenen Apfel
zu schenken. „Es ist doch kein Unglück zu Hause ge=
schehen?"[1]
5 „Meine Mutter," war alles, was der Knabe her=
vorbringen[2] konnte. Der Doktor fragte nicht weiter;
die ängstlichen Blicke des Knaben hatten ihm mehr
gesagt als seine Worte.

„Das ist schnell gegangen," sagte er leise und
10 traurig vor sich hin. „Na, warte nur einen Augen=
blick, mein Junge, ich komme sogleich mit dir. —
Christine, meinen Mantel und meine Schuhe!"

Der Doktor seufzte und kroch in die feuchten
Schuhe und den feuchten Mantel. Er nahm sich
15 nicht einmal Zeit, seine Frau zu begrüßen,[3] sondern
lief fünf Minuten später, den Knaben fest an der
Hand, durch Wind und Kälte nach dem kleinen
Häuschen vor der Stadt.

Dieses Mal stand kein Kinderhäufchen in der
20 Küche am Herd, aber eine brave Nachbarin[4] war
beschäftigt, warme Tücher und heißes Wasser her=
beizubringen.

Die Nachbarin berichtete dem Arzt mit ein paar
Worten, was geschehen war; dann trat er in das
25 Zimmer der Kranken. Vor dem Bette der Mutter
standen bitterlich weinend zwei der größeren Kinder.
Zu ihnen trat noch der ältere Knabe; jetzt weinte

---

[1] es ist doch kein Unglück zu Hause geschehen, there has not
been an accident at home, I hope. [2] hervor, forth, out; her=
vorbringen, bring forth, utter. [3] begrüßen, greet, welcome;
here: speak to, say hello. [4] die Nachbarin, *fem.* neighbor.

auch er. Zwei jüngere Kinder lagen in ihren Bett=
chen in tiefem Schlaf. Die Kranke lag mit geschlos=
senen Augen auf dem Bett. Ein Blick zeigte dem
Arzt, daß hier wenig für ihn zu tun war. Eilig
schrieb[1] er einige Mittel auf[1] und schickte die Nach= 5
barin zur Apotheke, um diese zu kaufen.

Plötzlich schlug die Kranke die Augen auf. Fra=
gend flog ihr Blick umher, bis er auf das Gesicht des
Arztes fiel. In demselben Augenblick drang[2] das
Weinen der Kinder an ihr Ohr. Ein Ausdruck von 10
Angst und Not flog über ihr Gesicht. „Ich kann
nicht sterben! O meine Kinder," flüsterte sie.

Ohne zu antworten, tat der Doktor, was in seiner
Macht stand. Aber immer wieder, während er ihr
Haupt höher legte, ihre trockenen Lippen netzte 15
(*moistened*) oder ihr den Schweiß von der Stirn
trocknete, drangen die schrecklichen, ängstlichen
Worte an sein Ohr: „Ich kann nicht sterben!
Meine Kinder!"

Voller Sorge blickte der Doktor nach der Tür. 20
„Ob die Nachbarin nicht bald zurückkommt?" dachte
er. Da änderte sich plötzlich das Aussehen und der
Ausdruck der Kranken. Ein bläulicher (*bluish*)
Schatten[3] lief über ihre Züge, der Atem wurde
schwächer, die Schatten tiefer, die Augen dunkler. 25

Der Doktor wußte, das Ende war da. Der Tod
hatte seine Hand auf sie gelegt, aber es schien, als
ob[4] der Tod die Kranke nicht nehmen oder als ob

---

[1] aufschreiben, write down. [2] dringen, penetrate, sound,
come. [3] der Schatten, shade, shadow. [4] als ob, as if, as
though.

II

die Kranke dem Tode nicht folgen wollte. Minute
auf Minute ging vorüber, und das schreckliche: „Ich
kann nicht sterben" wollte noch immer nicht zur
Ruhe kommen.

5 Der Doktor trocknete sich den Schweiß von der
Stirn. Er hatte an manchem Sterbebette[1] gesessen
und manches Scheiden[2] aus diesem Leben beob=
achtet.[3] Dieses Scheiden aber ging über seine
Kraft. Er blickte auf die arme Frau und wußte,
10 daß die Angst und Sorge um ihre Kinder sie nicht
sterben ließ; er beobachtete die Kinder auf dem
Bett und sah, wie sie versuchten, ihr lautes Weinen
und Seufzen nicht hören zu lassen. In seinem gu=
ten Gesicht kämpfte es, seine Brust atmete schwer.
15 Als jetzt wieder das angstvolle[4] „Ich kann nicht
sterben" an sein Ohr drang, da änderte sich der
Ausdruck in seinem Gesicht, da stand ein fester Wille
in seinen Augen. Er beugte[5] sich über die Kranke
und flüsterte ein paar Worte in ihr Ohr. Diese
20 richtete sich auf (*straightened up*) und faßte die
Hand des Doktors. Plötzliche Freude und höchstes
Erstaunen sprachen aus ihrem Blick, während sie
mit schwacher Stimme fragte: „Alle fünf?"

„Alle fünf, so wahr mir Gott helfe!"[6] wieder=
25 holte er ernst.

Da löste sich plötzlich der angstvolle Ausdruck ihres
Gesichtes, und ein Zug von Freude, Ruhe und

---

[1] das Sterbebett, deathbed. [2] scheiden, separate, divide;
part; das Scheiden, parting, departure. [3] beobachten, observe,
watch. [4] angstvoll, distressed, anxious. [5] beugen, bend, bow.
[6] helfe, may help.

Frieden spielte um ihre Lippen. Ihre Finger lö=
sten sich leise und glitten aus den Händen des Arztes.

„Kommt her," sprach der Doktor leise zu den
Kindern, „wenn ihr eure Mutter noch einmal küssen
wollt."

Während die beiden größeren Knaben laut wei=
nend das Gesicht der Mutter mit ihren Küssen be=
deckten, holte das Mädchen die beiden kleinsten
eilig[1] aus ihren Betten, damit[2] auch sie die Mut=
ter noch einmal küssen sollten. Als auch das Kleinste 10
sein rosiges[3] Mündchen auf die blassen Lippen der
Mutter gedrückt hatte, sank ihr Haupt zurück. Ein
leises Seufzen, ein angstvolles, lautes Weinen der
Kinder, und alles wat vorüber. Lang und still
streckte ihre Gestalt sich zum ewigen Schlafe aus. 15

Der Doktor legte seine Hand leicht auf ihre Augen,
dann rief er die Nachbarin und flüsterte: „Nehmen
Sie die Kinder mit sich hinaus; ihre Mutter hat
endlich Ruhe gefunden."

III

Es war am nächsten Tage, einem Feiertag. Der 20
Doktor und seine Frau saßen beim Mittagessen.
Die Frau des Doktors, eine kleine, rundliche (*plump*)
Frau, war trotz[4] ihrer vierzig (*forty*) Jahre noch
immer eine angenehme Erscheinung,[5] mit einem
mütterlichen[6] Zug im Gesicht, wie er bei kinder= 25
losen[7] Frauen nicht selten ist.

[1] eilig, hasty, hastily. [2] damit, *conj.* that, so that. [3] rosig,
rosy. [4] trotz, in spite of. [5] die Erscheinung, appearance;
figure. [6] mütterlich, motherly. [7] kinderlos, childless.

Wer sie kannte, der mußte leicht merken, daß sie heute einen wichtigen Plan hatte. Sie trug in der Regel sehr gute Kleider; heute aber trug sie ein besonders herrliches seidenes Kleid und zeigte vielleicht die Absicht, besonders zu gefallen. Der Doktor war ein durchaus feiner und edler[1] Mensch. Trotz seines rauhen Wesens liebte sie ihn von ganzem Herzen. Aber heute zeigte die rundliche, mütter-liche Frau ihre beste und freundlichste Seite.

Der Doktor schien jedoch[2] nichts zu merken. Er war heute besonders ernst und mit seinen Gedanken beschäftigt und aß schweigend von dem guten Mit-tagessen. Als er jedoch sah, daß seine Lieblings-frucht[3] als süße Speise auf dem Tisch stand — seine Lieblingsfrucht bekam er nur sehr selten — da ließ er einen prüfenden[4] Blick auf seiner Frau ruhen:

„Na, sprich offen und frei heraus; was willst du denn haben?"

„Was ich haben will? Wie kommst du auf solch einen Gedanken?"

„Na," sagte er, indem er wieder prüfend in ihre Augen blickte, „meine Lieblingsfrucht bekomme ich so selten, daß mir der Gedanke natürlich kam. Und dann das wunderschöne Kleid! Du bist immer noch eine recht schöne Erscheinung. Nun, sag es frei heraus, was du willst!"

Die Doktorin[5] war rot geworden. So hatte sie die Sache nicht anfangen wollen. „Allerdings[6] will

---

[1] edel, noble. [2] jedoch, however. [3] die Lieblingsfrucht, fa-vorite fruit. [4] prüfen, examine, test; *here:* search. [5] die Doktorin, doctor's wife. [6] allerdings, to be sure.

ich etwas mit dir reden, aber so schnell geht das freilich[1] nicht."

"Nun, so laß dir Zeit. Heute ist Feiertag. Am Feiertag sterben die Leute nicht gern, wie ich immer gefunden habe. Es muß allerdings eine schrecklich wichtige und geheime Sache sein, daß du mir nicht schon alles erzählt hast."

"Ja, weißt du, Albert, aber du mußt ganz ruhig hören, was ich sage, und du mußt dich einmal in die Seele[2] einer Frau hineindenken."

"In die edle Seele meiner eigenen Frau, sehr gern."

"Und du darfst mich nicht immer unterbrechen.[3] Also, zu Weihnachten werden es achtzehn (*eighteen*) Jahre, daß wir hier in derselben Wohnung[4] sind."

Der Doktor schob seinen Teller zurück. Er wollte eben seine Pfeife anzünden, legte sie aber auf den Tisch und stand auf. "Wenn du vom Ausziehen[5] reden willst, gehe ich lieber sogleich fort. Es ist besser, gar nicht vom Ausziehen zu reden."

"Aber ich denke gar nicht ans Ausziehen. Bleib nur sitzen!" Die Doktorin hielt ihren Mann beim Arm fest: "Ich meine nur, wenn man so lange Jahre in einer Wohnung ist, ohne etwas für sie zu tun, dann kann man sich freilich nicht wundern, wenn sie nicht besonders gut aussieht."

"Die Wohnung gefällt mir," sagte der Doktor, zufrieden um sich blickend.

"Sie wird dir aber noch besser gefallen, wenn sie

[1] freilich, certainly, to be sure. [2] die Seele, soul. [3] unterbrechen, interrupt. [4] die Wohnung, dwelling, apartment. [5] ausziehen, move; das Ausziehen, moving.

15

einmal in Ordnung gebracht[1] ist.   Sieh nur die
Fußböden[2] an.   Die Farbe hält nicht mehr auf dem
alten Holz, und es ist unmöglich, sie zu streichen."[3]

„Wünschst du vielleicht Parkett (*inlaid floors*)?"

5 „Das nicht; mit einem neuen Fußboden werde
ich ganz zufrieden sein."

„So, weiter also, denn fertig bist du gewiß noch
nicht."

„Die alten Tapeten (*wall papers*) müssen auch fort
10 und die alten Vorhänge[4] ebenfalls."

„Neue Möbel (*furniture*) kaufen wir dann wohl[5]
auch?"

„Nur für das gute Zimmer.   Die alten Sachen
bringen wir in das Wohnzimmer.   Deine Apparate[6]
15 können wir in einen anderen Raum stellen, und auf
diese Weise gewinnen wir ein reizendes[7] Zimmer."

„Und das Geld für diese reizenden Pläne?"

„Geh, Albert, du sprichst nicht ernst.   Von den
meisten Kranken nimmst du keinen Pfennig, und
20 dennoch legst du eine Menge Geld auf die Bank.
Für wen, weiß ich nicht. — Wir sind kinderlos," —
ein leichtes Seufzen folgte diesen Worten — „nahe
Verwandte haben wir auch nicht.   Da können wir
uns wohl[5] einmal erlauben, die Wohnung in Ord=
25 nung zu bringen."

„Einst hattest du die Absicht, ein Kind anzu=
nehmen."[8]

---

[1] in Ordnung bringen, set in order.   [2] der Fußboden, floor.
[3] streichen, *here:* polish.   [4] der Vorhang, curtain.   [5] wohl,
here: no doubt.   [6] der Apparat, apparatus; contrivance, ap-
pliance.   [7] reizen, charm.   [8] annehmen, *here:* adopt.

16

„Ja freilich hatte ich diese Absicht, aber du weißt, wie es immer ging. Wir konnten kein Kind anneh=men, ohne eine Menge von habsüchtigen (*greedy*) Verwandten auch anzunehmen. Wie oft haben wir es versucht! Und du weißt, ich bin froh, daß es nicht gelang.[1] Mit einem fremden Kind ist es doch eine gewagte[2] Sache. Man weiß nie, was man wagt. Und der Undank[3] mit fremden Kindern! Es genügt[4] nicht, freundlich mit ihnen zu sein. Sie halten[5] alles für[5] ihr gutes Recht. Solange sie klein sind, bringen sie Sorge und Not ins Haus, und wenn sie heranwachsen, brauchen sie uns nicht mehr. Sie genügen sich selbst, und wir sind gar nicht ihre Eltern. Nein, Albert, es ist besser so, wie es ist."

Der Doktor sah eine Weile schweigend vor sich hin, dann sagte er: „Und ich wollte dich eben bitten, nicht nur ein Kind, sondern fünf Kinder bei dir aufzunehmen."

„Fünf Kinder?" Die Doktorin sank mit einem er=schrockenen Gesicht auf ihren Stuhl zurück, so daß der Mann eilig sagte: „Nun, nun, ich meine natürlich nicht für immer, sondern nur für einige Tage. — Du weißt, daß die arme Frau Mosbach gestern ge=storben ist," sagte er nach einer Pause, da die Frau immer noch schwieg. „Die Kinder stehen ganz allein in der Welt."

---

[1] gelingen, succeed, be successful. [2] wagen, risk, dare, ven=ture; gewagt, risky. [3] der Undank, ingratitude. [4] genügen, suffice. [5] halten für, regard as, take for.

„Muß denn nicht die Gemeinde für sie sorgen?"
fragte die Doktorin verlegen.

„Das muß sie wohl, aber damit geht es nicht so
schnell. Zunächst sorgt die Polizei für die Kinder."

5 „Können sie nicht bei der Nachbarin bleiben?
Du sprachst von ihr."

„Die Nachbarin hat selber sieben (*seven*) Kinder."

„Aber ich habe gar keinen Platz für so viele."

„Du kannst sie vielleicht in den Raum neben das
10 Wohnzimmer bringen. Die paar Apparate von
mir," sagte der Doktor mit einem Zwinkern (*twinkle*)
in den Augen, „kann Christine leicht hinaustragen."

„Für fünf (*five*) Betten aber genügt der Platz
nicht."

15 „Zwei (*two*) Betten und ein Bettchen für das
Kleine sind genug. Zwei Kinder müssen in einem
Bett schlafen."

„Aber es ist sehr viel Arbeit. Christine wird nicht
froh sein."

20 „Christine wird alles verstehen, wenn ich mit ihr
rede. Wenn die Arbeit zu viel ist und sie nicht ge=
lingt, kann Auguste[1] ihr helfen. Augustes Mutter
hat heute nach Arbeit für ihre Tochter gefragt."

„Wie lange sollen die Kinder denn bleiben?"

25 „Das kann ich jetzt selbst noch nicht genau sagen.
Länger als eine Woche gewiß nicht."

„Und ich hatte gehofft, noch vor Weihnachten
unsere Wohnung in Ordnung zu bringen."

„Nun, Frauchen, wir sind so lange in der alten

[1] Auguste, Augusta.

Wohnung glücklich gewesen, daß sie wohl für ein
paar Wochen noch genügen wird." Er sah sie so
bittend an, daß sie freundlich fragte: „Wann sollen
die Kinder denn kommen?"

„Morgen nachmittag, wenn die Mutter begraben   5
ist. Die Nachbarin hat versprochen, solange auf=
zupassen. — Aber jetzt muß ich gehen. Es ist die
höchste Zeit."

Der Doktor nahm eilig Hut und Stock und ließ
seine Frau mit sehr gemischten[1] Empfindungen[2]   10
zurück.

Was sie gesagt, hatte sie mit großer Sorge aus=
gedacht und lange geprüft. Sie hatte auf[3] weit
besseren Erfolg gehofft.[3]

IV

Noch immer mit gemischten Empfindungen war=   15
tete die Frau Doktor[4] am nächsten Tage auf das
Kommen[5] der Kinder. „Wie werden sie sein?
Werde ich sie wirklich lieben können?" fragte sie
sich.

Da standen sie schon in der Tür, eng in ein Häuf=   20
chen zusammengedrückt, wie eine Handvoll Schnee=
flocken, vom Sturme[6] verschlagen (*swept away*).

Die drei größeren, ein Knabe von neun (*nine*),
einer von sieben (*seven*) und ein Mädchen von sechs

---

[1] mischen, mix, mingle. [2] die Empfindung, feeling, sensation. [3] hoffen (auf), hope (for). [4] Frau Doktor, doctor's wife.
[5] das Kommen, arrival. [6] der Sturm, storm, tempest.

(*six*), bildeten[1] den Hintergrund,[2] während vor
ihnen die zwei Kleinsten standen, ein dicker, drolliger
(*droll*) Junge von etwa drei (*three*) Jahren und ein
reizendes, rosiges Mädchen von kaum zwei (*two*).
5 Wie sein Brüderchen griff das kleine Mädchen
ängstlich nach dem Kleid der älteren Schwester, und
mit seinen hellen Augen blickte es verlegen auf die
freundliche Frau.

Die Doktorin prüfte mit schnellem Blick die kleine
10 Gruppe[3] der Kinder, dann atmete sie leichter. Das
waren keine schlecht erzogenen[4] Kinder; es waren
die gut erzogenen Kinder aus einer gebildeten[1]
Familie.

Die Kinder sprachen zunächst nicht viel. Sie ant=
15 worteten zwar[5] auf alle Fragen, aber man sah so=
gleich, wie fremd ihnen alles war und wie traurig
sie waren. Auch das Abendessen änderte nicht viel
daran. Zwar versuchten die Kinder zu essen, was
sie auf den Tellern fanden, aber die größeren hatten
20 mit den Tränen zu kämpfen, die kleineren mit dem
Schlaf. Die armen Kinder waren froh, als der
Doktor endlich sagte: „Ihr seid müde, Kinder; es
ist das beste, ihr geht zu Bett und schlaft aus. Mor=
gen wird alles besser aussehen."

25 Die Kinder traten jedes einzeln zu dem Doktor
und seiner Frau, reichten ihnen die Hand und
wünschten gute Nacht. Dann gingen sie in ihr
Schlafzimmer.

---

[1] bilden, form, shape; gebildet, educated. [2] der Hinter=
grund, background. [3] die Gruppe, group. [4] erziehen, bring
up, educate, train. [5] zwar, to be sure.

Die Doktorin wollte ihnen folgen, aber ihr Mann hielt sie zurück und sagte: „Je[1] mehr wir sie allein lassen, desto[1] besser für sie; je schneller wir sie kennen lernen, desto besser für sie und uns."

Eine Weile hörte man die Kinder flüstern und sich bewegen; dann, als alles still war, hörte man die Stimme des ältesten Knaben. Er betete laut den alten Kindervers[2]:

„Müde bin ich, geh' zur Ruh',[3]
Schließe[4] beide Äuglein zu.[4]
Vater, laß die Augen dein[5]
Über meinem Bette sein!"

Dann betete er weiter: „Lieber Gott, laß mich ein braves Kind werden und gib (*grant*), daß ich meinen Vater" — im Himmel wiederfinde, wollte er sagen, wie er es jeden Abend mit seiner Mutter gebetet hatte. Als er aber plötzlich daran dachte, daß jetzt nicht nur der Vater, sondern auch die Mutter im Himmel war, betete er weiter, indem er wiederholte: „Gib, daß ich meinen lieben Vater und meine liebe Mutter —" Da brach seine Stimme, und plötzlich hörte man sein lautes Weinen. In demselben Augenblick brachen[6] auch die anderen Kinder in ein lautes Klagen aus.[6]

Der Doktor war an das Fenster getreten und blickte hinaus auf die stille Straße, und die Doktorin strickte (*knitted*) so eifrig an einem Strumpf,[7] als ob

---

¹ je ... desto, the ... the. ² der Vers, verse; der Kindervers, nursery rhyme. ³ zur Ruhe gehen, go to rest (sleep). ⁴ zuschließen = schließen, close. ⁵ die Augen dein = deine Augen. ⁶ ausbrechen, burst out. ⁷ der Strumpf, stocking; hose.

der Strumpf heute noch fertig werden sollte. Erst[1]
nachdem im Zimmer der Kinder alles still geworden
war, bat der Doktor seine Frau leise, mit ihm ein=
zutreten. Erst jetzt sahen sie eine rührende Gruppe
5 von Kindern. Die vier (*four*) ältesten Kinder der
Gruppe waren aus ihren zwei Betten in eins ge=
krochen. Sie hielten sich in ihrem Schmerz umfaßt
(*embraced*), und so waren sie endlich eingeschlafen.
„Arme Kinder," flüsterte der Doktor. Er beugte
10 sich zu ihnen, und löste[2] sie mit zarten Händen aus=
einander[2] und legte sie zwei und zwei in ihre Betten.
Indessen war seine Frau zu dem Bettchen der
Kleinsten getreten.

Die blonden Locken (*locks*) tief in das rosige Ge=
15 sichtchen hängend, die kleinen Hände, zu Fäustchen[3]
geballt (*clenched*) und an beide Bäckchen gedrückt,
eins der weißen rundlichen Beinchen über die Decke
gestreckt, so lag sie da, süß atmend mit halbgeöff=
netem Mündchen.

20 „Sieh das liebe Kind an," flüsterte die Frau;
„kann es ein rührenderes, reizenderes Bild heiliger[4]
Unschuld[5] geben?" Sie schwieg und legte plötzlich
beide Arme um den Hals des Mannes, drückte ihre
Backe zärtlich[6] an die seine und sagte bittend: „Die=
25 ses Kind, wenn es dir recht ist, Albert, will ich als
das meine annehmen."

---

[1] erst, *here:* not until. [2] auseinanderlösen, separate from
one another. [3] die Faust, fist. [4] heilig, holy, sacred. [5] die
Unschuld, innocence. [6] zärtlich, tenderly.

V

„Nun, wie wirst du mit deinen fünf Kindern
fertig?" fragte der Doktor, als er am nächsten Tage
nach Hause kam.

„O, recht gut! Ich hätte[1] nie geglaubt, daß fünf
Kinder so still sein könnten."[1]

„Sorge dich nicht um sie; sie werden bald auf=
tauen (*thaw out*)."

Und sie tauten wirklich auf.

Schon am nächsten Tage blieb der Doktor, als er
nach Hause kam, erstaunt an der Tür stehen. In
der Mitte des Zimmers auf einer kostbaren Decke —
die Decke galt[2] der Doktorin viel, wenig galt ihr mehr
— saßen oder besser lagen oder noch besser kämpften
die beiden Kleinsten einen fröhlichen Kampf. Bald[3]
war das eine oben und das andere unten, bald[3] das
eine unten und das andere oben. Im Eifer des
Kampfes hatten sie ihre Schuhe und selbst ihre
Strümpfe verloren und rollten[4] nun wie zwei junge
Hündchen auf der weichen Decke umher.[4] Die Dok=
torin kniete vor ihnen und lachte so herzlich,[5] daß
ihr Tränen in den Augen standen.

„Sie sind reizend und rührend," sagte sie zu ihrem
Manne, als sie nach dem Mittagessen mit ihm bei
einer Tasse[6] Kaffee saß. „Sie fühlen sich schon ganz
zu Hause. Überall[7] sind sie bei mir. Wenn ich dem

---

[1] hätte ... könnten, would have ... could.   [2] gelten, be
worth, be of value.   [3] bald ... bald, now ... now.   [4] umher=
rollen, roll about.   [5] herzlich, heartily.   [6] die Tasse, cup.
[7] überall, everywhere.

einen etwas gebe, so macht das andere sein Münd=
chen auf. Wenn ich das eine auf das Knie nehme,
so schreit das andere: „Mich auch!"

„Ja, sie hängen sehr aneinander," sagte der Dok=
tor, „es wird schwer sein, sie voneinander zu tren=
nen."[1]

Die Doktorin war in tiefen Gedanken und rührte[2]
eifrig in ihrer Tasse. „Müssen wir sie denn durchaus
voneinander trennen?" fragte sie dann.

„Was willst du denn sonst tun? Beide be=
halten?"[3]

„Wenn ich das eine annehmen kann, so kann ich
das andere auch behalten."

„Ja, wenn es nicht zu viel Arbeit ist."

„Ach, die Arbeit ist gar nicht zu viel. Und noch
ist die größere Schwester hier. Sie arbeitet den
ganzen Tag. Du glaubst gar nicht, wie geschickt[4]
und klug sie ist."

VI

„Komm einmal für einen Augenblick her und
sieh," bat die Doktorin ihren Mann am nächsten
Morgen, als dieser eben das Haus verlassen wollte.
Sie ließ ihn durch die halbgeöffnete Tür ins Schlaf=
zimmer der Kinder blicken.

Da saßen auf ihrem Bettchen die beiden Kleinen
in ihren Hemdchen, und vor ihnen stand die größere
Schwester, Schwamm (*sponge*) und Handtuch[5] be=

---

[1] trennen, separate.   [2] rühren, *here:* stir.   [3] behalten, keep,
retain.   [4] geschickt, apt, skilled.   [5] das Handtuch, towel.

reit; bald das Händchen des einen und bald das
des anderen nehmend; nun das Gesicht, das Näs=
chen und das Öhrchen des einen waschend, bald
dem anderen so schnell und geschickt helfend, daß
die Kinder gar keine Zeit zum Weinen fanden. Von 5
Zeit zu Zeit waren sie den Tränen nahe, aber ehe
sie in Weinen ausbrachen, war die ältere Schwester
mit den beiden Kleinen fertig.

„Sie ist wie ein Mütterchen zu den Kleinen,"
sagte die Doktorin. „Und du sollst nur sehen, wie 10
klug und geschickt sie auch sonst ist! Bald hilft sie
Christine in der Küche Gemüse waschen und Gläser
trocknen; bald steht sie in irgend einem Zimmer auf
einem Stuhl, um zu putzen und alles in Ordnung
zu bringen. Zehnmal am Tag läuft sie zum Brun= 15
nen,[1] um frisches Wasser für mich zu holen, oder sie
kommt vom Brunnen zurück und —"

Der Doktor hatte nicht Zeit zu hören, wie voll=
kommen und geschickt das kleine Mädchen war. Als
seine Frau am Abend desselben Tages weiterbe= 20
richten wollte, unterbrach er sie: „Nun, wenn das
Mädchen so hoch in deiner Gunst[2] steht, wenn dein
Urteil über sie so günstig[2] ist, so wird es dich freuen,
was ich dir über seine Zukunft[3] sagen werde."

„Nun, was kannst du denn Günstiges über seine 25
Zukunft sagen?"

„Kaufmanns haben sich bereit erklärt,[4] das Kind
für geringes Geld bei sich zu behalten und für seine
Zukunft zu sorgen."

[1] der Brunnen, well, fountain. [2] die Gunst, favor; günstig,
favorable. [3] die Zukunft, future. [4] erklären, *here:* declare.

25

„So, haben sie das getan?" Die Doktorin strickte
mit doppeltem Eifer. „Ich glaube gern, daß sie
das Mädchen brauchen können, um ihre beiden
schlecht erzogenen Kinder zu erziehen und ihnen
5 die Nasen zu putzen.[1] Und geringes Geld verlangen
sie außerdem? Nun, dumm sind sie nicht, aber sie
halten uns für dumm. Das soll ihnen jedoch nicht
gelingen.[2] Wie lange dauert's noch, so ist das
Mädchen groß, und sie haben sich ein gutes Dienst=
10 mädchen[3] erzogen. Dieses Dienstmädchen kostet sie
nichts, gar nichts. Zu diesem Zweck[4] gebe ich ihnen
das Kind nicht. Zu einem solchen Zweck ist mir das
Kind zu gut."

„Aber was planst du für sie? Man muß froh
15 sein, wenn —"

„Was ich für sie plane?" unterbrach die Doktorin.
„Behalten will ich sie!"

„Aber du hast schon die beiden Kleineren!"

„Eben darum brauche ich die Größere auch.
20 Allein kann ich mit den beiden Kleinen nicht fertig
werden."

„Du vergißt aber ganz, daß das Mädchen bald in
die Schule muß."

„Für die paar Stunden in der Schule wird sie auch
25 noch Zeit finden. Sie soll nur eifrig lernen, damit
sie ein gebildetes Mädchen wird. Denke nur, Al=
bert, wie hübsch es sein wird, solch ein liebes Töchter=

---

[1] putzen, *here:* wipe, clean. [2] das soll ihnen nicht gelingen,
(in this) they shall not succeed. [3] das Dienstmädchen, servant
girl. [4] der Zweck, purpose.

26

chen immer im Hause zu haben! Nicht wahr,[1] du
sagst ja? Ich darf das Mädchen behalten?"

Der Doktor sagte nichts. Er nahm den Kopf
seiner kleinen Frau zwischen seine beiden mächtigen
Hände und drückte einen herzlichen Kuß auf ihren 5
Mund. Dann ging er hinaus.

Die Doktorin war ganz rot geworden. Das hatte
er seit langer Zeit nicht mehr getan. Ja früher![2]
Aber jetzt — wenn man so ein Jahr nach dem an=
deren nebeneinander lebt, dann ist man weniger 10
zärtlich. „Er ist doch ein lieber, guter, edler Mann!"
flüsterte sie leise vor sich hin, während sie mit einem
glücklichen Lächeln zur Ruhe ging.

VII

„Na, kannst du nicht sehen, wohin du läufst,
Junge?" rief der Doktor am nächsten Tage ärger= 15
lich, als der zweitgrößte[3] Knabe mit Gewalt[4] gegen
ihn lief. Einen Augenblick stand der Kleine von der
Gewalt des Stoßes betäubt (stunned), dann wandte
er sein rotes Gesichtchen mit blitzenden[5] Augen zu
dem Doktor: „Es war nur der Extrazug (special 20
train) von Wien (Vienna)," sagte er verlegen und
rannte in das nächste Zimmer.

„Das ist ja ein Blitzjunge[6]!" sagte der Doktor,
dem hübschen, lebhaften[7] Knaben mit den Augen
folgend.
25

¹ nicht wahr, is it not so. ² früher, formerly, before, sooner.
³ zweitgrößte, second in size. ⁴ die Gewalt, power, force, vio-
lence. ⁵ blitzen, flash, sparkle. ⁶ der Blitzjunge, fine boy,
smart boy. ⁷ lebhaft, lively; vivid.

„Ja, ein Blitjunge ist er," wiederholte die Frau.
„Bald jagt[1] er als Eisenbahn und bald als Straßen=
bahn[2] überall durchs Haus, nun als wildes Tier,
nun als Jäger. Schreien, laufen und jagen aber
5 muß er immer und überall. Sonst geht es nicht."

„Dann verbiete es ihm."

„Man kann es ihm nicht verbieten. Er ist zu
lebhaft. Er hat zu viel Kraft. Ich will gar nichts
sagen, wenn er mich nur in Frieden läßt. Aber
10 jeden Augenblick kommt er und bittet mich, ich soll
mich in seinen Wagen oder sein Schiff setzen oder
ihm irgend eine Waffe machen."

„Und du tust immer, was er will?"

„Was kann ich denn sonst tun, wenn er so bittet?
15 Und Gedanken hat er! Vor einer Weile spielt er
Tiergarten, und auf einmal braucht er ein Krokodil.
Er kommt und sagt mit blitzenden Augen: ,Sei so
gut und lege dich auf alle viere,[3] und du wirst ein
wunderschönes Krokodil sein.' Natürlich hatte ich
20 nicht die geringste Lust,[4] ihm diese Gunst zu er=
weisen (show). Glaubst du aber, daß der Junge so
lange gebeten hat, bis —"

„Bis du Lust bekamst, ihm die Gunst zu erweisen
und Krokodil spieltest," unterbrach der Doktor. „O,
25 Frau, Frau, daß ich nicht hier war!" Der Doktor
lachte, daß er sich die Seiten halten mußte. „Willst
du mir nicht einmal zeigen, wie du's gemacht hast?"

Aber die Doktorin hatte nicht die geringste Lust,

---

[1] jagen, chase, hunt; rush, dash. [2] die Straßenbahn, street
car. [3] alle viere, all fours. [4] die Lust, desire; Lust haben,
have a mind, feel like.

28

sich wieder auf alle viere zu legen und Krokodil zu
spielen.

VIII

„Warum trinkst du denn nicht aus deiner eigenen
Tasse?" fragte der Doktor erstaunt seine Frau, als
sie beim Kaffee saßen.   5

Diese wurde rot und verlegen. „Die Tasse, ja,
die Tasse ist zerbrochen."[1]

„Zerbrochen? Deine Tasse? Du trinkst aus derselben Tasse seit deiner Mädchenzeit und liebst sie
sehr. Ich bin froh, sie nicht zerbrochen zu haben." 10

„Aber er hat's nicht mit Absicht getan."

„Er? Welcher er? Also nicht Christine? Vielleicht wieder der Blitzjunge, nicht wahr?"

Sie nickte[2] nur.

„Nun, da wirst du ihm ein paar ordentliche 15
Schläge gegeben haben?"

„Zuerst war ich ärgerlich und wollte ihn schlagen,
aber er erlaubte es nicht."

„Erlaubte es nicht? Hat er böse Worte gesagt?"

„Nein! Er hat getrauert[3] und gelitten und mich 20
so fest umarmt,[4] daß es weh getan hat."

„Und da hast du ihm vergeben und ihm noch zehn
(ten) Pfennig für den Schrecken geschenkt, nicht
wahr?"

„Nein, nur eine Handvoll Zuckerwerk."   25

„O, ihr Weiber, ihr Weiber," rief der Doktor,

---

[1] zerbrechen, break to pieces. [2] nicken, nod. [3] trauern,
grieve, mourn. [4] umarmen, embrace.

„die eine von euch ist wie die andere. Nun, warte, im Waisenhaus gibt es keine Handvoll Zuckerwerk für eine zerbrochene Tasse."

„Im Waisenhaus?" fragte die Doktorin erschrok=
5 ken.

Der Doktor nickte. „Ich habe heute gehört, daß man die beiden großen Knaben gewiß aufnehmen wird. Nächste Woche soll die Sache entschieden[1] werden."

10 Die Doktorin schüttelte den Kopf und gab ihrem Manne eine zweite Tasse Kaffee. Dann sagte sie langsam: „Also man will entscheiden, den hübschen, lebhaften Jungen ins Waisenhaus zu bringen?"

„Meinst du, dort nehmen sie nur häßliche?"

15 „Das lebhafte, fröhliche Kind?"

„Den Übermut[2] wird er dort bald verlieren."

„Wenn man Übermut durch den Stock verliert, ja. Ein Kind ängstlich zu machen, ist keine Kunst. Ob sie den offenen, fröhlichen Knaben aber nicht
20 unglücklich machen, ist die Frage. Ja, wenn er so ruhig wäre[3] wie sein Bruder, da wäre[4] er im Wai= senhause glücklich, aber mit seiner Kraft und seinem Übermut! Nein, Albert," sie umarmte ihren Mann zärtlich, „schicke den armen Jungen nicht ins Waisen=
25 haus, laß ihn hier bleiben! Ein Kind mehr oder weniger, das merkt man gar nicht. Nicht wahr, du läßt mir den Knaben?"

„Ich für meinen Teil habe nichts gegen den Blitzjungen zu sagen, aber —"

[1] entscheiden, decide. [2] der Übermut, high spirits, frolic-someness; cockiness. [3] wäre, were. [4] wäre, would be, were.

„Also er bleibt! O du guter Mann! — Aber sei
einmal einen Augenblick ruhig! Ich glaube, ich
habe den Jungen auf der Treppe gehört. Sicher
sitzt er wieder auf dem Geländer (*banister*) und
gleitet blitzschnell hinunter. O, wie man sich um so 5
einen Jungen sorgen muß!" Fort war sie, und der
Blick des Doktors folgte ihr mit einem zufriedenen
Lächeln.

IX

Ein paar Tage waren vorüber. Der Doktor hatte
seine Frau gebeten, den Kindern nichts von ihrer 10
Zukunft zu sagen, bis alles entschieden war.

„Es tut mir leid, daß wir ihn allein von den an=
deren trennen müssen," sagte die Doktorin, während
sie an einem der nächsten Abende neben ihrem
Manne saß und die Sachen des ältesten Knaben 15
ansah. „Aber du muß selbst sagen, alle kann ich
nicht behalten. Der Älteste ist so still und reif.[1] Er
hat solch ein reifes Urteil und wird sich im Waisen=
hause wohl fühlen. Ich glaube auch nicht, daß ihm
die Trennung[2] von den Geschwistern[3] besonders 20
schwer sein wird. Er scheint nicht tief zu emp=
finden."

„Vielleicht zeigt er es nur nicht. Er war der
Liebling[4] seiner Mutter."

„Und seine Geschwister sind doch alle so viel 25
hübscher und angenehmer als er," sagte die Frau
erstaunt.

---

[1] reif, ripe, mature. [2] die Trennung, separation. [3] die
Geschwister, *pl.* brothers and sisters. [4] der Liebling, favorite.

31

„Vielleicht machte gerade das ihn für seine Mut=
ter um so teurer."

Die Doktorin dachte still vor sich hin. „Nun ja,"
nickte sie, „vielleicht für seine Mutter. Ich will
5 auch gar nichts gegen ihn sagen. Er tut, was ich
will, ist eifrig und reif in seinem Urteil, aber ich
kann kein Herz zu ihm fassen.¹ Natürlich kann er
seine Geschwister oft besuchen und gute Freunde an
uns haben."

10 Der Doktor antwortete nichts. Als seine Frau
aber heute zur Ruhe ging, war sie nicht zufrieden
mit sich selbst und wußte nicht einmal warum.

X

„Sieh nur, ob ich recht habe² mit dem Jungen,"
sagte die Doktorin am nächsten Morgen, einem
15 Sonntage, nach dem Frühstück. „Schon den ganzen
Morgen sitzt er da. Er hat kein Leben in sich. Seine
Geschwister können schreien, wie sie wollen; ich
glaube, er hört sie gar nicht."

„Komm einmal her, mein Junge!" rief der Dok=
20 tor dem Knaben zu. Dieser hatte den Kopf in beide
Hände gedrückt, saß still in einer Ecke und bewegte
sich nicht. „Was fehlt dir?"

„Der Kopf tut mir weh."

„Seit wann denn?"

25 „Seit immer."

---

¹ ein Herz zu jemandem fassen, take a liking to someone.
² recht haben, be right.

„Seit immer, das wird wohl heißen, seit du hier bist, nicht wahr?"

Der Knabe nickte.

„Und tut dir sonst etwas weh?"

„Die Augen und das Genick (*nape of the neck*), und oft ist mir so schwindlig."[1]

„Dir ist schwindlig, und du sagst kein Wort?" Der Doktor klopfte und horchte an dem Knaben umher, dann sagte er: „Geh jetzt in dein Zimmer und lege dich nieder. Ich komme sogleich zu dir."

Die Doktorin hatte in schweigender Angst alles gehört. „Du hältst ihn doch nicht für ernstlich[2] krank?"

„Für sehr ernstlich krank halte ich ihn. Soviel wie ich jetzt entscheiden kann, ist es der Anfang einer Gehirnkrankheit."[3]

Die Doktorin erschrak. „Und gerade jetzt! Was soll ich nun mit den anderen Kindern anfangen?"

„Nun, ansteckend (*contagious*) ist die Krankheit nicht, aber vollständige Ruhe braucht er durchaus. Das beste ist, ich lasse ihn sogleich in ein Krankenhaus[4] bringen. Die Krankheit kann leicht sehr ernst werden."

„Du meinst, daß er sterben muß?"

„Er hat die Krankheit zu lange mit sich umhergetragen."

Die Doktorin war plötzlich sehr ernst und ruhig

---

[1] schwindlig, dizzy; mir ist schwindlig, I feel dizzy. [2] ernstlich, seriously. [3] das Gehirn, brain + die Krankheit = die Gehirnkrankheit, brain fever. [4] das Krankenhaus, hospital.

geworden. „Dann darf der Knabe nicht ins Kran=
kenhaus," sagte sie entschlossen und entschieden.

„Aber du wolltest ihn von dir geben."

„Ja, wenn er gesund geblieben wäre.[1] Ich habe
5 kein Herz zu diesem Kinde gefaßt, das ist wahr;
aber gerade darum will ich meine Pflicht[2] tun.
Pflicht ist Pflicht. Ich kann mit den anderen Kin=
dern nicht glücklich werden, wenn ich ihren Bruder
im Krankenhause sterben lasse."

10 „Das ist edel gedacht," sagte der Doktor ruhig.
„Aber wo soll er liegen? Vollständige Ruhe ist
durchaus nötig für ihn."

„Er kann in Christines Dachzimmer liegen. Dort
ist es sonnig[3] und ruhig. Christine kann ihr Bett
15 indessen in die Küche stellen."

„Du hast recht. Das geht. Aber wer wird ihn
pflegen? Weder du hast Zeit noch Christine."

„Nein, aber ich lasse die alte Frau Müller kom=
men. Sie hat mich vor zwei Jahren so gut gepflegt.
20 Wenn sie ruhen muß, wache ich für sie. — Rede
nur nicht! Ich werde doch ein paar Nächte wa=
chen können, wenn du das ganze Jahr bereit bist."

Der Doktor strich zärtlich mit der Hand über das
Haupt seiner Frau und sagte: „Nun denn, in Gottes
25 Namen, so sprich mit Christine. Ich will indessen
die Pflegerin[4] schicken. Die Pflegerin soll aus der
Apotheke holen, was nötig ist."

Schwere Tage und noch schwerere Nächte folgten.
Es schien, als ob der Knabe seiner Mutter folgen

---

[1] wenn er gesund geblieben wäre, if he had remained well.
[2] die Pflicht, duty. [3] sonnig, sunny. [4] die Pflegerin, nurse.

wollte. Stunde auf Stunde lag er im Fieber[1] und rief ihren Namen, bis die trockenen Lippen keinen Ton mehr hervorbringen konnten.

„Ich habe nur noch wenig Hoffnung,"[2] sagte der Doktor wenige Tage später. „Wenn das Fieber bis morgen früh nicht fällt, so ist er verloren."

„Dann bleibe ich diese Nacht bei ihm," sagte die Doktorin entschlossen.

„Du hast lange nicht gut geschlafen. Es ist zu viel!"

„Sei nicht ängstlich. Pflicht ist Pflicht. Was man muß, das kann man."

Der Doktor reichte ihr die Hand. „Wenn du mich brauchst, so rufe mich."

Langsam gingen die Stunden der Nacht vorüber. Mit weit geöffneten Augen und fieberhaften[1] Gliedern[3] warf der Knabe sich weinend und seufzend in seinem Bett umher. „Mutter, Mutter" und immer wieder „Mutter" klagte er. Die Doktorin empfand tiefes Mitleid.[4] Sie beugte sich über ihn und strich zärtlich und mitleidig[4] über sein Haar. Der Ausdruck in des Knaben Gesicht änderte sich plötzlich. „Bist du es, Mutter? Bist du endlich da?" Er legte beide Arme fest um ihren Hals und zog sie zu sich, so daß ihre Backe an der seinen lag.

Voll reiner Freude fühlte sie, wie die fieberhaften Glieder ruhiger wurden und sich langsam lösten. Sein Kopf blieb still liegen, seine Brust atmete leichter. Wenn sie aber einen Versuch machte, sich

---

[1] das Fieber, fever; fieberhaft, feverish. [2] die Hoffnung, hope. [3] das Glied, limb. [4] das Mitleid, compassion, pity; mitleidig, compassionate(ly).

aus seinen Armen zu lösen, schrie er angstvoll auf
(*cried out*).

Sie konnte nichts tun, als leise ihre Füße auf das
Bett zu ziehen, so daß sie neben ihm lag. Sein
5 Atem sagte ihr, daß er eingeschlafen war, und
während sie mit Empfindungen tiefen Mitleids
und reiner Freude ihr Gesicht an das des Knaben
drückte, schloß der Schlaf auch ihre müden Augen.

Der Morgen blickte schon zum Fenster herein,[1]
10 als sie die Augen aufschlug. Ihr Mann stand über
das Bett gebeugt. Erschrocken fuhr sie auf (*started
up*). „Ich habe doch nicht geschlafen?"[2]

„Freilich hast du geschlafen. Aber sieh hier!"
Er zeigte auf den Knaben. Die Stirn mit dichten
15 Schweißtropfen bedeckt, lag er in tiefem Schlaf.
„Er ist gerettet, und seine Retterin bist du!"

Die Doktorin hatte Tränen der Freude in den
Augen. „Die Gefahr ist vorüber," sagte ihr Mann.
„Er wird sich schnell und vollständig erholen. In
20 vierzehn (*fourteen*) Tagen vielleicht schon wird er
stark genug sein, in sein neues Heim[3] zu ziehen."

„Neues Heim? Du meinst Waisenhaus. Glaubst
du wirklich, daß ich den Knaben jetzt noch von mir
lasse?" sagte die Doktorin leise und gerührt. „Er
25 hat mich Mutter genannt, und wenn er es auch nur
im Fieber tat,[4] ich will ihm eine Mutter sein. Es
ist meine Pflicht. Er gehört mir!"

---

[1] zum Fenster herein, into the window. [2] ich habe doch nicht
geschlafen, I have not slept (been asleep), I hope. [3] das Heim,
home. [4] wenn er es auch nur im Fieber tat, even though he
did it only in his fever.

36

„So willſt du lieber den jüngeren Knaben ins Waiſenhaus ſchicken?"

„Nein, das will ich nicht."

„Oder das Mädchen?"

„Gewiß nicht." 5

„Die beiden Kleinen wirſt du aber noch weniger aufgeben wollen?"

„Ich will ſie behalten, alle fünf!"

„Alle fünf?" Die Stimme des Doktors ſchien nicht ſicher. „Du läßt dich von deinem guten Herzen 10 beſtimmen.[1] Weißt du, was du mit fremden Kindern wagſt? Man weiß nie, was in ihnen ſteckt."

„Das kann man von den eigenen auch nicht wiſſen."

„Unſere Freundlichkeit[2] nehmen ſie als ihr gutes 15 Recht an."

„Das ſollen ſie auch."

„Und wenn ſie groß ſind, erinnern ſie ſich plötzlich, daß wir gar nicht ihre rechten Eltern ſind."

„Wenn wir ihnen rechte Eltern waren, gewiß 20 nicht!"

„Und alle Sorge und Arbeit?"

„Die will ich gern auf mich nehmen. Aber" — ſie blickte ängſtlich in ſeine Augen — „ſind dir vielleicht fünf zu viel?" 25

„Mir?" Er nahm ihre Hände in die ſeinen und ſagte ernſt:

„Anna, als die arme Mutter mit dem Tode kämpfte und nicht ſterben konnte in der Angſt und

[1] beſtimmen, determine. [2] die Freundlichkeit, friendliness, kindness.

Sorge um ihre Kinder, da beugte ich mich zu ihr und sagte: ‚Ich will die Kinder zu mir nehmen, und sie sollen meine eigenen sein.‘ ‚Alle fünf?‘ fragte sie. ‚Alle fünf,‘ antwortete ich, ‚so wahr mir Gott 5 helfe.‘ Darauf starb sie in Frieden.“

„Arme Mutter,“ flüsterte die Doktorin, ihr Gesicht an der Schulter des Mannes bergend.[1] Plötzlich aber hob sie ihren Kopf und sprach: „Aber Albert! Wenn du das versprachst, dann hast du die 10 Kinder mit der reifen, bestimmten Absicht in das Haus gebracht, sie alle zu behalten!“

Er nickte nur.

„Wenn ich jedoch nicht gewollt hätte?“[2]

„Ich kannte dein Herz.“

15 „So? Und wenn du mein Herz kanntest, warum kamst du dann nicht und sagtest offen, was du wolltest?“

„Ich wollte nichts verbergen, aber du wolltest an dem Tage gerade neue Fußböden und neue 20 Tapeten und Vorhänge und —“

Sie wollte ihn unterbrechen, da hörten sie eine schwache Stimme in dem Bett des kranken Knaben. Mit klaren, fieberlosen[3] Augen lag der Knabe da und sah sie an. Hatte er ihre Worte gehört? Wußte 25 er, was sie bestimmt und entschieden hatten? „Mutter,“ flüsterte er leise, indem er die Hand nach ihr ausstreckte.

Sie stürzte vor seinem Bett auf die Knie. „Ja,

---

[1] bergen, verbergen, hide, conceal. [2] wenn ich jedoch nicht gewollt hätte, if, however, I had not been willing. [3] fieberlos, free of fever, without fever.

mein Kind, ich will deine Mutter sein!" Sie be=
deckte sein Gesicht mit ihren Küssen, dann setzte sie
sich zu ihm auf das Bett, strich zärtlich und mitleidig
das feuchte Haar aus der Stirn und sagte, durch
Tränen lächelnd: „Was für weiches, feines Haar 5
er hat! Und die guten, treuen Augen! Und —"

„Nun, das nenne ich als wirkliche Mutter
sprechen!" rief der Doktor lachend. „Ich sehe schon,
du wirst den Jungen schrecklich verziehen (*spoil*)."

„Und warum nicht? Aber horch! Sind da nicht 10
die anderen Kinder vor der Tür? Sie wollen gern
herein. Sie dürfen wohl?"

Der Doktor war schon an der Tür. Da stand die
Gruppe von Kindern wieder wie vor einigen Wo=
chen, eng in einem Häufchen zusammengedrückt, 15
die größeren den Hintergrund bildend. Dieses Mal
aber blieben sie nicht ängstlich stehen. Sie kamen
näher, und während die beiden kleinen auf die
Kniee der Doktorin stiegen und die größeren sich
dicht an sie drückten, blickten sie auf ihren Bruder. 20
Dieser lag blaß und still in seinem Bette.

Mit der einen Hand hielt die Doktorin die Hand
des kranken Knaben, mit der zweiten drückte sie
die anderen Kinder fest an sich. „Unsere Kinder!"
sagte sie, ihren Mann glücklich ansehend. „Möge[1] 25
Gott sie glücklich machen!"

„Alle fünf!" sprach der Doktor leise und gerührt.

[1] möge, may.

39

LIST OF IDIOMS IN ORDER OF OCCURRENCE

(Numbers refer to pages)

VOCABULARY EXERCISES

PREFACE

The following exercises are intended to give further practice in the recognition of the 1055 words and 124 idioms (approximately) occurring in the first five booklets of the Alternate Series of Graded German Readers. Lack of space prevented the inclusion of more varied drill material. Yet about four pages of exercises have been devoted to each booklet. They contain: *a*) nouns, verbs, and miscellaneous words; *b*) compounds, mostly nouns; *c*) idioms. These are followed by a number of word-building exercises which seem indispensable for beginners, namely: 1) Infinitives as nouns. 2) Verbal stems as nouns. 3) Prefix un–. 4) Suffix –er. 5) –chen. 6) –lein. 7) –ig. 8) –in. 9) –e. 10) –heit. 11) –keit. 12) –los. 13) –lich affixed to nouns. 14) –lich affixed to adjectives. 15) –ung. 16) Weak verbs formed from nouns. 17) Weak verbs derived from adjectives. 18) –erlei. 19) –mal. 20) –wärts. 21) –haft. In doing these exercises the instructor will find it advantageous to have the student state the meaning of the derivative, giving him help when necessary.

Note the following:

The numbers heading each exercise correspond to the chapters on which they are based. An umlaut sign following a word (") denotes that an umlaut must be used in the derivative. Letters in parentheses are to be omitted in forming derivatives.

PECHVOGEL UND GLÜCKSKIND

I–III [1]

Express in English:

a) der Bach, der Baum, der Berg, der Kopf, der Tag,
der Vogel, der Wald, der Weg, der Wirt; die
Brücke, die Ecke, die Furcht, die Kirche, die
Mitte, die Spitze, die Stadt, die Tasche, die Toch-
ter, die Welt; das Beispiel, das Brot, das Geld,
das Glück, das Gold, das Grab, das Haus, das
Mädchen, das Schild, das Schloß, das Stück, das
Tor, das Unglück.

ansehen, bedeuten, bleiben, blühen, erzählen,
fühlen, führen, fürchten, gehen, graben, kommen,
mitkommen, mitnehmen, rufen, schlagen, schneiden, schwimmen, sehen, stehen, stehenbleiben,
verbieten, verstehen, weinen, wohnen.

also, ander, auch, bald, böse, dann, einmal, entlang, fertig, froh, fröhlich, glücklich, groß, gut,
herrlich, hinaus, hoch, immer, ja, jeder, klein, mit,
nein, nicht, nichts, schlecht, schön, sehr, so, tot,
traurig, vielleicht, warum, weit, wenig, wieder.

b) der Pechvogel, der Unglücksvogel, der Waldweg;
die Bergspitze, die Geldtasche, die Wirtstochter;
das Geldstück, das Glückskind, das Wirtshaus.

c) auf englisch, zum Beispiel, ich schneide mich in
die Finger, eines Tages, denken an, nicht mehr, es

[1] Throughout the exercises, numbers refer to chapters.

1

geht mir gut, zu Hause sein, des Weges kommen,
bei sich denken, auf einmal, aus Gold, aus Stein,
den Weg entlang, sich fürchten vor.

IV–VII

Express in English:

a) der Freund, der König, der Kuß, der Laden, der
Mensch, der Reiter, der Rock, der Traum, der
Trost, der Wille, der Zweig; die Feder, die Frage,
die Freundin, die Kirche, die Krone, die Luft, die
Seide, die Stirn; das Auge, das Dorf, das Futter,
das Geschenk, das Gesicht, das Herz, das Kleid,
das Knie, das Leben, das Lied, das Pferd, das
Zimmer.

anfangen, aufstehen, aussehen, beginnen, sich
bewegen, bitten, blasen, fliegen, fortfliegen, fragen, sich freuen, hassen, helfen, kaufen, küssen,
lassen, laufen, leben, legen, sich legen, machen,
putzen, reiten, sagen, schenken, schreiben, sollen,
suchen, träumen, treten, trösten, tun, vergessen,
versuchen, wissen.

ach, arm, blau, damit, einzig, endlich, etwas, fort,
freundlich, gern, häßlich, her, jemand, langsam,
lieb, man, nie, nieder, niemand, nur, rot, schnell,
seiden, sogleich, weiß, welcher, wenig, wirklich,
wunderschön, zunächst.

b) der Kaufladen, der Menschenfreund, der Mutter-
kuß; die Bergluft, die Dorfkirche, die Königstochter; das Menschenleben, das Mutterherz,
das Pferdefutter.

c) etwas Böses tun, etwas zum Lachen, gern lachen,

wie soll ich das anfangen, ein fröhliches Gesicht
machen, die Augen niederschlagen, noch immer,
was soll ich nun anfangen, es hilft alles nichts,
um Gottes willen, ohne ein Wort zu sagen, was
fehlt dir, antworten auf, immer wieder.

VIII–X

Express in English:

a) der Befehl, der Diener, der Esel, der Grund, der
Hunger, der Meter, der Morgen, der Rat, der
Tisch, der Turm, der Versuch, der Wunsch; die
Dame, die Königin, die Sache, die Stimme, die
Strafe, die Straße, die Stunde, die Tür, die Wo-
che; das Bein, das Fenster, das Fleisch, das Ohr,
das Reich.

anlegen, befehlen, dauern, dienen, erkennen,
kennen, nennen, raten, reden, sterben, tragen,
warten, warten lassen.

bis, doch, ernst, fremd, früh, genug, gerade,
gewiß, gewöhnlich, heute, hungrig, jetzt, kurz,
lang, lange, leise, letzt, meterlang, möglich,
morgen, schon, seit, solch, stolz, streng, um, unmöglich, wahrscheinlich, wann.

b) der Augenblick, der Goldfisch, der Wochentag;
die Dorfstraße, die Haustür, die Mädchen-
stimme; das Eselsohr, das Eßzimmer, das Königreich.

c) gar nicht, aus diesem Grunde, ich mache ihn um
einen Kopf kürzer, Hunger haben, noch einmal,
noch nicht, bei Tisch, heute morgen, setzt euch
doch, warten auf, auf und ab, bis vor wenigen

Wochen, morgen früh, jemandem leise etwas ins Ohr sagen.

1. *Infinitives may be used as nouns:* teilen, *divide;* das Teilen, *(the) dividing. Form neuter nouns from the following infinitives:* antworten, aufstehen, beginnen, bleiben, blühen, denken, dienen, erzählen, fallen, finden, fliegen, fragen, führen, geben, gehen, hassen, hören, kaufen, kommen, küssen, lachen, laufen, leben, nehmen, öffnen, reden, reiten, rufen, schenken, schlagen, schwimmen, sehen, sein, stehen, sterben, suchen, tanzen, tragen, träumen, treten, trinken, trösten, vergessen, verlangen, verstehen, versuchen, wandern, warten, weinen, werden, werfen, wohnen, wünschen.

2. *Many nouns can be formed from infinitive stems:* teilen, *divide;* der Teil, *the part. Note that the infinitive noun has the more abstract meaning:* das Teilen, *the (act of) dividing;* der Teil *(the result of dividing), the part. Form masculine nouns from infinitive stems of:* anfangen, befehlen, fallen, hassen, kaufen, laufen, raten, rufen, schlagen, streichen, tanzen, versuchen; *omit umlaut in the following:* küssen, träumen, trösten, wünschen.

3. *The suffix* –er *when affixed to verbal stems denotes the agent. Example:* arbeiten, *work;* der Arbeiter, *worker. Form masculine nouns in* –er *from the infinitive stems of the following verbs:* anfangen ",[1]

[1] An umlaut sign after the word signifies that the derivative takes umlaut.

beginnen, dienen, erzählen, finden, fliegen, fragen, führen, geben, helfen, hören, kaufen ", lachen, laufen ", putzen, reiten, schwimmen, spielen, suchen, tanzen ", tragen ", träumen, trinken, trösten, wandern.

Das tapfere Schneiderlein

I–V

Express in English:

a) der Abend, der Apfel, der Baum, der Bericht, der Beweis, der Buchstabe, der Frieden, der Fuß, der Geist, der Gipfel, der Gürtel, der Held, der Hof, der Käse, der Krieg, der Leib, der Morgen, der Riese, der Schlaf, der Schneider, der Stamm, der Streich; die Arbeit, die Eiche, die Erde, die Fliege, die Frau, die Höhle, die Kraft, die Menge, die Nacht, die Schulter, die Wand, die Ware, die Zeit; das Blatt, das Eisen, das Ende, das Essen, das Geschäft, das Pfund, das Schaf, das Tuch.

abwiegen, arbeiten, aufheben, aufmachen, berichten, beweisen, biegen, braten, drücken, dürfen, empfangen, erfahren, essen, fallen, fest, festhalten, gefallen, glauben, halten, hängen bleiben, leben, hoffen, kriechen, lesen, meinen, riechen, schenken, schicken, schlafen, ausschlafen, einschlafen, sprechen, strecken, vergessen, wiegen, zählen.

ab, als, mehr als, beide, die beiden, bereit, daß, dort, frei, friedlich, frisch, herbei, herein, indessen, leicht, müde, nächst, nah, natürlich, neben, nötig, ob, schwer, stark, tapfer, tief, weich, wichtig, zusammen.

b) der Apfelbaum, der Kriegsheld; die Bauersfrau; das Abendessen, das Viertelpfund; die Hofleute.

c) zur Frau (nehmen), bei der Arbeit, ein Geschäft machen, auf einen Streich, nichts als, von Kopf zu Fuß, zur Erde, es gefällt mir, nicht einmal, schießen auf, am Ende, in tiefem Schlaf, am Morgen, eines Morgens, in den Krieg ziehen, die Augen aufschlagen.

VI–X

Express in English:

a) der Ast, der Blitz, der Donner, der Hals, der Junge, der Kampf, der Platz, der Rücken, der Soldat, der Stock, der Stoß, der Streit; die Brust, die Ehre, die Feier, die Freude, die Gefahr, die Heirat, die Macht, die Maus, die Tapferkeit; das Messer, das Spiel, das Versprechen.

aufwachen, ausreißen, bekommen, brauchen, donnern, fangen, feiern, fertigwerden, folgen, heiraten, herausziehen, kämpfen, reißen, rennen, sammeln, schaden, schießen, stoßen, streiten, trauen, verlieren, versprechen, wachen, ziehen, zurückkehren.

angenehm, außerdem, ehe, einander, einige, halb, herab, link–, mausetot, offen, recht–, selbst, sogar, sondern, treu, um . . . zu, wild, zufrieden.

b) blitzschnell, miteinander, zueinander; der Tiergarten; die Donnerstimme, die Hochzeit, die Hochzeitsfeier; das Wildschwein.

c) gern haben, hin und her, ein Versprechen halten, weh tun, leid tun, losrennen auf.

6

Schneewittchen

Express in English:

a) der Atem, der Durst, der Gürtel, der Jäger, der
Kamm, der Koch, der Löffel, der Mund, der Neid,
der Rahmen, der Schnee, der Schuh, der Spiegel,
der Stolz, der Teil, der Teller; die Backe, die
Decke, die Farbe, die Gabel, die Gestalt, die Kunst,
die Mitte, die Ordnung, die Ruhe; das Band, das
Fest, das Feuer, das Gemüse, das Gift, das Holz,
das Licht, das Liebste, das Weib, das Zeichen.
achten, anzünden, atmen, aufpassen, ausdenken,
begraben, beweisen, decken, eilen, erschrecken,
falsch, färben, geschehen, glühen, heranwachsen,
kämmen, klopfen, kochen, kosten, leiden, merken,
ruhen, schnüren, schreiben, schreien, stehen, vergiften, verkaufen, wachsen, wirken, sich wundern.
außen, daran, darauf, darum, daß, dunkel, durstig,
eigen, gelb, giftig, grün, hell, innen, kaum, lieb,
möglich, neidisch, nett, niemand, ordentlich,
schwarz, stolz, wahr, während, weil, zuerst, zuletzt.

b) Schneewittchen, schwarzhaarig; die Schneeflocke;
das Ebenholz, das Hochzeitsfest, das Schnürband.

c) vor Neid, zum Zeichen, nach Hause, in Ordnung
halten, sie färbt sich das Gesicht, das ist mir recht,
lieb haben.

1. The negative prefix un-, cognate with English
un-, denotes the opposite of that which is designated in the stem: angenehm, *agreeable;* unangenehm, *disagreeable;* un- is accented when pre-
fixed to the words below: deutsch, fein, fertig, frei,

freundlich, gern, gewiß, gewöhnlich, gleich, Glück, glücklich, interessant, natürlich, nötig, ordentlich, Ordnung, Ruhe, schön, treu, wahr, Wahrheit, wahrscheinlich, weise, wichtig, wirklich, zufrieden.

2. The suffixes –chen and –lein are neuter diminutive suffixes, which often express the idea of endearment, neatness, or tenderness. Form neuter nouns in –chen, using the umlaut where indicated: das Haus ", *the house;* das Häuschen, *the little (neat, dear) house.* der Apfel ", der Arm ", der Baum ", das Bein, das Blatt ", das Dorf ", der Esel, das Feuer, der Finger, der Fluß ", der Fuß ", die Gabel ", das Glas ", der Herr, das Herz, das Lied, der Löffel, das Spiel, der Stein, das Stück, der Teil, der Teller, die Tür.

3. Form neuter nouns in –lein, using the umlaut as indicated: das Aug(e) ",[1] *the eye;* das Äuglein, *the little eye.* der Bach ", der Berg, der Fisch, der Hut ", die Kirch(e), der Kopf ", die Maus ", der Mund ", die Mutter ", die Rose ", das Schaf ", das Schiff, der Schneider, der Spieg(el), die Tasch(e) ", der Tisch, die Tochter ", der Wolf ", der Zweig.

4. The suffix –ig, cognate with –*y* in *hungry,* generally means " to have," " to possess " that which is indicated in the stem: die Sonne, *the sun;* sonnig, *sunny.* Form adjectives in –ig from the following nouns: der Berg, das Blut, der Busch, der Durst, das Feu(e)r, das Fleisch, das Gift, das Gras, das

[1] Throughout these exercises, letters in parentheses are to be omitted in forming derivatives.

8

Haar, der Hung(e)r, die Kraft ", die Luft, die Macht ", die Rose, die Seid(e), der Wald, der Wind.

5. The suffix –in, added to masculine nouns, forms feminines, which, like the masculine, denote rank, dignity, or occupation: der König, *the king;* die Königin, *the queen.* Form feminine nouns with the suffix –in: der Bauer ", der Diener, der Esel, der Freund, der Held, der Herr, der Reiter, der Schneider, der Schwimmer, der Wirt, der Wolf ", der Zwerg.

Erzählungen und Anekdoten

I–XI

Express in English:

a) der Arzt, der Bleistift, der Brief, der Dank, der Dichter, der Dieb, der Doktor, der Fehler, der Gast, der Hahn, der Haufen, der Hund, der Kerl, der Korb, der Kuchen, der Lehrer, der Maler, der Meister, der Mittag, der Ofen, der Ort, der Schüler, der Strich, der Tod, der Zug; die Absicht, die Anekdote, die Angst, die Art, die Dichtung, die Falte, die Henne, die Jugend, die Kartoffel, die Katze, die Kuh, die Lehre, die Literatur, die Milch, die Reise, die Schuld, die Schule, die Uhr, die Universität, die Weisheit, die Zeitung; das Bild, das Buch, das Ding, das Ei, das Fest, das Gedicht, das Gut, das Heft, das Huhn, das Kalb, das Paar, das Pult, das Recht, das Urteil, das Volk, das Wetter.

ärgern, beißen, bellen, danken, erstaunen, fahren,

fassen, holen, klagen, lehren, machen, mögen, reisen, riechen, stehlen, stellen, studieren, verdienen, vergeben.

allwissend, als, berühmt, da, damals, derselbe, dritt–, ebenso, erst–, etwa, fehlerlos, geboren, heiß, krank, leer, mancher, mehrere, ruhig, rund, spät, vollkommen, zwei, zweit–.

b) der Geburtstag, der Milchmann, der Milchwagen, der Mitschüler, der Uhrmacher; die Büchertasche, die Geburtstagsfeier, die Literaturgeschichte, die Universitätsstadt; das Gastzimmer, das Geburtstagsfest, das Lehrerzimmer, das Milchmädchen, das Mittagessen, das Schulgebäude, das Sprichwort.

c) es gibt, eines Mittags, wie es auch sein mag, riechen an, besten Dank, ein Glas Bier, es war einmal, eine Kanne Milch, vor Freude, einen Plan fassen.

XII–XVII

Express in English:

a) der Fremde, der Hafen, der Hirt, der Irrtum, der Kasten, der Kunde, der Nachbar, der Prediger, der Räuber, der Reisende, der Stall, der Theologe, der Tote, der Überfall, der Zucker, der Zufriedene; die Bank, die Bewunderung, die Blume, die Einladung, die Erzählung, die Ferne, die Gemeinde, die Gesellschaft, die Glocke, die Herde, die Leiche, die Not, die Polizei, die Post, die Predigt, die Reihe, die Sorge, die Speise, die Sprache, die Theologie, die Träne, die Waffe, die Wurst, die Zufriedenheit; das Dach, das Faß, das Feld, das Frühstück, das

Hemd, das Lob, das Meer, das Mittel, das Schwein, das Vertrauen, das Ziel.

annehmen, berauben, beschließen, bewundern, erinnern, erklären, erwarten, gehören, genießen, gewinnen, sich irren, lächeln, lernen, loben, predigen, rauben, reichen, retten, rühren, sinken, sorgen, sparen, treffen, überfallen, wählen, zahlen.

außerordentlich, billig, blaß, breit, dennoch, doppelt, einsam, fast, fern, genau, klug, kräftig, meist, meistens, selten, sicher, süß, teuer, verwandt, vorüber, weder . . . noch.

b) der Bauernhof, der Handwerksbursche, der Leichenwagen, der Leichenzug, der Pferdemarkt, der Pferdestall, der Postwagen, der Schweinehirt, der Tuchfabrikant; die Eisenbahn, die Landstraße.

c) im Winter, bis auf den letzten Pfennig, zeigen auf, auf deutsch, voll Zucker, ein Stück Käse, schweren Herzens, blind auf (einem Auge), sich erinnern, ein Stück Wurst, sich sorgen um, sich auf den Weg machen, not tun, fragen nach, auf das Land gehen.

1. The suffix –e forms a great many nouns. Affixed to adjectives it forms abstract feminine nouns, always with umlaut of the vowel if possible. Example: *gut*, *good;* die Güte, *kindness.* Form feminine nouns in –e and give meanings: blaß ", breit, dick, fern, frisch, früh, groß ", hart ", kalt ", kurz ", lang ", leer, nah ", scharf ", schwer, stark ", streng, süß, tief, treu, warm ", weit.

2. The suffix –heit, cognate with –*hood* in *falsehood*, was formerly an independent word meaning " manner." It forms abstract nouns from adjec-

11

tives. Example: frei, *free;* die Freiheit, *freedom.*
Form feminine nouns in –heit and give meanings:
berühmt, blind, dumm, dunkel, falsch, fein, frech,
ganz, gewiß, gleich, klar, klug, krank, leer, offen,
schön, selten, sicher, vollkommen, wahr, weis(e),
zufrieden.

3. The suffix –keit, a later form of –heit, forms
abstract feminine nouns when affixed to adjectives in –ig, –lich, –er, and –sam. Example:
deutlich, *distinct;* die Deutlichkeit, *distinctness.*
Form feminine nouns in –keit and give meanings:
ähnlich, billig, bitter, einsam, fertig, freundlich,
langsam, möglich, tapfer, traurig, unfreundlich,
unmöglich, wichtig, wirklich.

4. The suffix –los, cognate with –*less* in *groundless,*
forms adjectives from nouns. Example: der
Grund, *ground;* grundlos, *groundless.* Form
adjectives in –los and give meanings: der Fehler,
der Gott, der Humor, der Kopf, der Neid, der
Plan, der Schlaf; die Kraft, die Ruhe, die Sorg(e),
die Zeit; das Brot, das End(e), das Fleisch, das
Herz, das Leb(en), das Licht, das Recht, das Wort,
das Ziel.

5. The suffix –lich, cognate with –*ly* in *friendly,* denotes in general " a resembling or befitting, a be-
longing to or coming from " that which is given
in the stem. Affixed to nouns it usually cor-
responds to English –*al*, –*ful*, –*like*, or –*ly*.
Example: der Meister, *master;* meisterlich, *mas-
terly.* Form adjectives from the following and
state meanings: der Arzt ", der Augenblick, der

12

Bauer ", der Freund, der Fried(en), der Gott ", der Kaiser, der König, der Leib, der Mann ", der Mensch, der Nachbar, der Nord(en) ", der Tag ", der Vater ", der Winter; die Absicht, die Angst ", die Geschicht(e), die Gesellschaft, die Großmutter ", die Jugend, die Kirch(e), die Mutter ", die Nacht ", die Natur ", die Schwester, die Stund(e) ", die Welt, die Zeit; das Fest, das Geschäft, das Glück, das Haus ", das Herz, das Jahr ", das Land ", das Recht, das Unglück, das Vertrau(en).

6. The suffix –lich affixed to adjectives sometimes has adverbial force. Example: rein, *clean;* reinlich, *cleanly.* Often it denotes a similarity to that which is designated in the stem: braun, *brown;* bräunlich, *brownish.* Form adjectives ending in –lich and state meanings: alt ", arm ", bitter, falsch ", ganz ", gut ", krank ", reich, schwarz ", süß, tot ", wahr.

Eine Nacht im Jägerhaus

I–III

Express in English:

a) der Eifer, der Erfolg, der Gedanke, der Jäger, der Mißerfolg, der Mord, der Mörder, der Regen, der Schimmer, der Schlag, der Schrecken, der Schuß, der Stich, der Stuhl, der Zweifel; die Alte, die Flasche, die Lampe, die Meinung, die Natur, die Regel, die Tanne, die Treppe; das Brötchen, das Dunkel, das Geheimnis, das Haupt, das Schloß, das Schweigen, das Stroh.

abschließen, ändern, sich ärgern, aufnehmen, beben, blicken, eintreten, entstehen, flüstern, greifen, horchen, laden, leuchten, regnen, schieben, schimmern, schweigen, treiben, sich verirren, verschließen, wiederholen, zurufen, zuwerfen, zwingen.

ärgerlich, aufmerksam, auswendig, eben, eifrig, eng, geheim, heimlich, indem, jugendlich, nachdem, plötzlich, schrecklich, schwach, spöttisch, umher, unschuldig, unten, verlegen, zugleich.

b) der Abendsegen, der Fußtritt, der Jägerhut, der Lichtschimmer; das Dachzimmer, das Jägerhaus, das Strohbett.

c) in der Regel, wer da, zu den Füßen, ohne Zweifel, eine Flasche Bier, recht haben, wir sind unser zwei.

IV–V

Express in English:

a) der Gefallen, der Körper, der Preis, der Schmerz, der Schuß, der Ton, der Zufall, der Zustand; das Amt, das Geräusch.

empfinden, enden, flammen, grüßen, hinabsteigen, mitsingen, sich schämen, schulden, stürzen, vergeben, verlassen.

beschäftigt, brav, dicht, hinab, irgend, irgend etwas, irgendwo, je, jugendlich, kostbar, oben, hier oben, seltsam, statt, voll, zweideutig.

b) der Amtmann; die Todesgefahr, die Zweideutigkeit; das Dachfenster, das Frühstück, das Morgenlied, das Wohnzimmer.

c) losgehen auf, um des Himmels willen, nicht wahr, gestern abend, sprechen über.

Die Geschichte von Kalif Storch

Express in English:

a) der Bart, der Feind, der Flügel, der Monat, der Mond, der Mut, der Osten, der Raum, der Storch, der Zauber, der Zauberer; die Bewegung, die Frucht, die Haut, die Mauer, die Nachahmung, die Pfeife, die Rache, die Retterin, die Ruine, die Schrift, die Stellung, die Störchin, die Übung, die Verbindung, die Verwandlung, die Weise, die Wiese; das Interesse, das Papier, das Pulver, das Tal, das Wesen.

ankommen, bedecken, begleiten, sich entschließen, erfüllen, sich erholen, sich ernähren, hervorbrechen, lieben, lösen, nachahmen, rauchen, schreiten, schwören, seufzen, trocknen, üben, übersetzen, vergehen, sich verneigen, verschwinden, verwandeln.

allerlei, besonders, einst, ewig, heil, hervor, lateinisch, mächtig, prächtig, richtig, rund, schwierig, sonst, trocken, was für ein, willkommen, woher, wohl.

b) der Kaufmann, der Nachmittag, der Storchfuß; die Storchenhaut; das Langbein, das Rosenholz, das Zauberpulver, das Zauberwort.

c) vor sich hin, es ist mir ganz sonderbar zumute, vor Freude, vor Schrecken, auf welche Weise, das ist es eben, die Katze im Sack kaufen, um so mehr.

1. The suffix –ung, cognate with –ing in *ending*, attached to verbal stems forms a large group of nouns denoting the action indicated in the stem,

or its effect, result, or product. Example: achten, *esteem;* die Achtung, *esteem, respect.* Form feminine nouns in –ung and give meanings: ändern, begleiten, bewegen, einladen, empfinden, erfahren, erholen, erinnern, erklären, ernähren, erzählen, führen, füllen, hoff(e)n, meinen, nachahmen, öffnen, retten, stellen, stören, trösten, üben, übersetzen, verbinden, vergeben, verwand(e)ln, wandern, wenden, wohnen.

2. The verbs which correspond to the following nouns are found by adding –en (–n after e). Example: die Reise, *journey;* reisen, *travel, journey.* Form verbs from the following nouns and give meanings: der Befehl, der Beweis, der Blick, der Dank, der Fall, der Gruß ", der Hunger (add n), der Kamm ", der Kampf ", der Kauf(mann), der Meister (add n), der Mord, der Rat, der Reg(e)n, der Schlaf, der Schlag, der Schmerz, der Schutz ", der Tanz, der Traum ", der Trost ", der Wunsch ", der Zweifel (add n); die Flamme, die Frage, die Furcht ", die Luft ", die Rache ", die Ruhe, die Schuld, die Sonne, die Strafe; das Blut, das Ende, das Kleid, das Land.

3. Many German weak verbs are derived from simple adjectives, usually with umlaut of the vowel. Example: hart, *hard;* härten, *make hard, harden.* Form verbs by adding –en, and state meanings: bereit, genug ", klar ", krank ", kurz ", los ", mehr, rot ", rund, scharf ", schwarz ", sicher (add n), stark ", still, tot ", warm ", weit.

Alle fünf!

I–III

Express in English:

a) der Apotheker, der Apparat, der Ausdruck, der Be=
kannte, der Knabe, der Knochen, der Kranke, der
Marsch, der Satz, der Schatten, der Undank, der
Verwandte, der Vorhang; die Apotheke, die Ar=
beit, die Backe, die Begrüßung, die Empfehlung,
die Erscheinung, die Kälte, die Krankheit, die
Küche, die Lippe, die Nachbarin, die Ordnung, die
Pflege, die Seele, die Wohnung, die Zeichnung,
die Zigarre; das Aussehen, das Vermögen.
sich abzeichnen, annehmen, aufschreiben, ausziehen,
begrüßen, beobachten, bestimmen, sich beugen,
dringen, erlauben, gelingen, genügen, gleiten,
halten, hervorbringen, klingeln, lösen, mischen,
pflegen, prüfen, reizen, scheiden, schütteln, unter=
brechen, wagen, zeichnen.
allerdings, als ob, angstvoll, damit, durchaus, edel,
eilig, einzeln, feucht, freilich, gesund, hervor, je=
doch, kinderlos, mühsam, mütterlich, na, rauh,
rosig, rückwärts, schlank, trotz, verwandt, voll=
kommen, vollständig, vorwärts, wohl, zart.

b) der Backenknochen, der Feiertag, der Fußboden,
der Vorort, der Weihnachtsbaum; die Kinder=
stimme, die Lieblingsfrucht, die Weihnachtser=
zählung, die Zeitschrift; das Donnerwetter, das
Kinderauge, das Kinderhäuflein, das Sterbebett,
das Weihnachtsgedicht, das Zuckerwerk.

17

c) zum Zeichnen, eine Frage stellen, er schüttelte den Kopf, er drückte der Kranken die Hand, einen Satz zu Ende sprechen, voller Arbeit, es klingelt, es ist doch kein Unglück geschehen.

IV–X

Express in English:

a) der Brunnen, der Liebling, der Strumpf, der Sturm, der Übermut, der Zweck; die Faust, die Freundlichkeit, die Gewalt, die Gruppe, die Gunst, die Hoffnung, die Lust, die Pflege, die Pflegerin, die Pflicht, die Tasse, die Trennung, die Unschuld, die Zukunft; das Dienstmädchen, das Fieber, das Heim, das Mitglied.

ausbrechen, auseinanderlösen, behalten, bergen, bilden, blitzen, entscheiden, erziehen, gelten, jagen, nicken, pflegen, trauern, trennen, umarmen, umherrollen, zerbrechen, zuschließen.

bald … bald, ernstlich, fieberhaft, fieberlos, früher, geschickt, gesund, günstig, heilig, herein, herzlich, je … desto, lebhaft, mitleidig, reif, sonnig, überall, zärtlich, zwar, zweitgrößt–.

b) der Blitzjunge, der Hintergrund, der Kindervers; die Eisenbahn, die Gehirnkrankheit, die Mädchenzeit, die Straßenbahn; das Handtuch, das Krankenhaus, das Schlafzimmer, das Waisenhaus.

c) in Ordnung bringen, halten für, hoffen auf, zur Ruhe gehen, das soll ihnen nicht gelingen, ein Herz zu jemandem fassen, Lust haben, mir ist schwindlig, ich habe doch nicht geschlafen.

18

1. The suffix –erlei forms indeclinable adjectives denoting the number of kinds: manch, *many a;* mancherlei, *of several sorts.* Form adjectives in –erlei and state meanings: ein, zwei, drei, vier, fünf, sechs, hundert, tausend, all, kein, jed(er), mehr, viel.

2. mal means " time(s) " and forms iterative adverbs: ein, *one;* einmal, *once.* Form adverbs with mal: kein, sechs, sieben, acht, neun, zehn, elf, zwölf, hundert, tausend.

3. The suffix –wärts, cognate with *–wards* in *towards, homewards,* is affixed to prepositions and nouns. Example: ab, *down;* abwärts, *downwards.* Form words in –wärts and state meanings: auf, vor, der Nord(en), der Süd(en), der West(en), der Ost(en), der Himmel, das Heim.

4. The suffix –haft, originally a past participle of haben, meaning " had," " possessed," is most frequently affixed to nouns. Its connotation is " inclining toward " or " partaking in the nature of " that which is indicated in the noun: der Fehler, *mistake, error;* fehlerhaft, *erroneous.* Form adjectives in –haft adding –n or –en where indicated and state meanings: der Junge(n), der Knabe(n), der Schmerz, der Zweifel, die Frau(en), das Fieber, das Mädchen, das Herz, das Leben (omit en).

5. Form neuter nouns from infinitives (see p. 4, Exercise 1): ankommen, aussehen, beobachten, bestimmen, entscheiden, erziehen, feiern, hoffen, klagen, klingeln, nicken, pflegen, scheiden, schütteln,

trauern, trennen, umarmen, wagen, weinen, zeichnen, zerbrechen.

6. Form neuter nouns in –chen (see p. 8, Exercise 2): der Arm ", der Bruder ", der Fuß ", der Hauf(en) ", der Knab(e) ", der Kuß ", der Mund", der Platz ", der Rock ", der Satz ", der Stock ", der Vogel "; die Back(e) ", die Eck(e), die Faust ", die Frau, die Hand ", die Nas(e) ", die Ros(e) ", die Schwester, die Stadt ", die Stimm(e), die Tass(e) ", die Weil(e); das Bein, das Bett, das Hemd, das Herz, das Kind, das Kleid, das Nest, das Ohr ", das Wort ".

7. Form adjectives with un– (see p. 7, Exercise 1): edel, erfahren, fein, fertig, frei, freundlich, gebildet, genau, geschickt, gesund, gewiß, gleich, glücklich, günstig, heilig, klug, natürlich, nötig, ordentlich, recht, reif, schön, schuldig, sicher, vollkommen, vollständig, wahr, wichtig, wirklich, zart.

8. Form feminine nouns in –heit (see p. 11, Exercise 2): bestimmt, dumm, dunkel, frei, gesund, gewiß, gleich, halb, klug, krank, mehr, schlank, schwach, sicher, trocken, vollkommen, wahr, weich, wild, zufrieden.

9. Form feminine nouns in –keit (see p. 12, Exercise 3): ewig, freundlich, herrlich, herzlich, lebendig, möglich, natürlich, plötzlich, vollständig, wenig, wichtig, wirklich, zärtlich.

10. Form feminine nouns in –ung (see p. 15, Exercise 1): atmen, begrüßen, beobachten, empfinden, entscheiden, erscheinen, hoff(e)n, mischen, ordnen,

trennen, umarmen, unterbrechen, wohnen, zeich=
nen.

11. Form masculine nouns from infinitive stems (see
p. 4, Exercise 2): anfangen, befehlen, beweisen,
blitzen, donnern, fallen, laufen, planen, reizen,
rufen, scheinen, schlafen, schlagen, stoßen, (omit
umlaut in the following) kämpfen, küssen, wünschen.

12. Form feminine nouns by omitting the letters in
parentheses: angst(voll), antwort(en), arbeit(en),
eile(n), klingel(n), pause(n), ruhe(n), sorge(n).

NOTE

This vocabulary is intended to be complete except for a number of infinitives used as substantives, diminutives in –chen and –lein, and a few compound verbs whose component parts are listed. No attempt has been made to list separately the past and past participle of strong or irregular verbs, except for Booklets one and two.

The noun is given in its principal parts, i.e. nominative singular, genitive singular (feminines excepted), and nominative plural: thus, der Abend, –s, –e; die Frau, –en. The umlaut in the plural is indicated by two dots over a hyphen (–̈), e.g. das Haus, –es, –̈er.

Weak verbs are listed only in the infinitive: leben, *live*. Irregular weak verbs are given with their principal parts, i.e. infinitive, past, and past participle: bringen, brachte, gebracht. The modal auxiliaries are given like weak verbs, except that the third person of the present indicative is added in parentheses, e.g. dürfen (darf), durfte, gedurft. Strong verbs which change the stem vowel in the present indicative are given only under the simple verb, i.e. geben (gibt), gab, gegeben; all others are given like irregular weak verbs, e.g. singen, sang, gesungen. The use of sein as a perfect auxiliary is indicated thus: kommen, kam, ist gekommen. Verbs with separable prefixes are printed with a hyphen: ab-legen. An asterisk after a compound verb indicates that the principal parts are given under the simple verb: an-kommen,* empfangen.*

No accents are given.

For an explanation of the asterisks before key words, see the Preface, page iv.

The numbers after the English definitions in the vocabulary refer to the booklets in the Series in which the German words occur for the first time.

22

VOCABULARY

A

*ab off, away; down 1; auf
und ab up and down, to
and fro 1

das Abcbuch, -es, -er
primer 3

**der Abend, -s, -e evening 2;
am Abend in the evening
2; eines Abends one eve-
ning 3; das Abendessen,
-s, -, supper 2; der
Abendsegen, -s, -, eve-
ning prayers 4

**aber but; however 1

ab=schließen* lock (up) 4

*die Absicht, -en intention 3

ab=wiegen* weigh off 2

sich ab=zeichnen be outlined 5

*ach! ah! oh! alas! 1

*acht eight 3

*achten esteem 2; die Achtung
esteem, respect 4

*achtzehn eighteen 3

*achtzig eighty 3

*ähnlich resembling, similar 3

**all all 1; alles everything 1;
alle viere all fours 5

**allein alone 1

*allerdings to be sure 5

allerlei all sorts or kinds of
4

allwissend omniscient 3

**als (adv.) as; than 2; (conj.)
when 3; als ob as though

5; mehr als more than 2;
nichts als nothing but 2

**also thus, so; therefore, con-
sequently, then 1

**alt (älter, ältest) old 1; der
(die) Alte, -n, -n old man
(or woman) 4

am = an dem 1

(das) Amerika, -s America 1
amerikanisch American 3

*das Amt, -es, -er office 4;
der Amtmann, -s, -leute
official 4

**an (dat. or acc.) at; near, by;
on; to, up to 1

ander other, different 1;
anders otherwise, differ-
ently 2

*ändern alter, change 4

die Anekdote, -n anecdote 3

**an=fangen* begin, start, com-
mence 1; wie soll ich das
anfangen how shall I go
about this (or that) 1;
was soll ich nun anfangen
what shall I do now 1;
der Anfang, -s, -e begin-
ning 5

**angenehm agreeable, pleas-
ant 2

*die Angst, -e fear 3; anxiety,
concern; ängstlich anx-
ious, uneasy 5; angstvoll
distressed 5

an=kommen* arrive 4

23

an=legen put on (clothes) 1
an=nehmen* accept **3,** adopt 5
an=sehen* look at, regard 1
**antworten (auf + *acc.*) answer *or* reply (to) 1
*an=zünden light, ignite, kindle 2
der Apfel, –s, "̈, apple 2; **der Apfelbaum, –es, "̈e apple tree 2
die Apotheke, –n pharmacy, drug-store 5; **der Apotheker, –s, —,** pharmacist, druggist 5
der Apparat, –(e)s, –e apparatus 5
der Appetit, –s appetite 2
arbeiten work, labor, toil 2; **die Arbeit, –en work, labor, toil 2; **bei der Arbeit** at work 2; **der Arbeiter, –s, —,** worker 3; **das Arbeitszimmer, –s, —,** workroom 2
ärgern vex, irritate; tease 3; **sich ärgern** be vexed 3; **ärgerlich** vexed, annoyed 4
**der Arm, –es, –e arm 1
**arm (ärmer, ärmst) poor, without means 1
*die Art, –en kind, sort; way 3
*der Arzt, –es, "̈e physician 3
der Ast, –es, "̈e branch, bough 2
*atmen breathe 2; **der Atem, –s** breath 2
auch also, too 1; **auch nicht neither 5
auf (*dat. or acc.*) at; up, upon, on 1; **auf deutsch in German 3; **auf englisch** in

English 1; **auf einmal** suddenly, all of a sudden 1; **auf und ab** up and down, to and fro 1
auf=geben* give up 5
auf=heben* lift, raise up 2
*auf=machen = öffnen open 2
aufmerksam attentive(ly) 4
auf=nehmen* receive, accept 4
*auf=passen pay attention, be on the lookout 2
auf=reißen* fling *or* burst open 3
aufs = auf das on the 2
auf=schlagen* open 2; **die Augen aufschlagen** open one's eyes 2
auf=schreiben* write down 5
auf=springen* jump up 3
auf=stehen* get up; rise 1
auf=stoßen* push open 4
auf=wachen awake, wake up 2
das Auge, –s, –n eye 1; **die Augen niederschlagen cast down one's eyes 1
*der Augenblick, –es, –e moment, instant 1
aus (*dat.*) out of, from; of; **aus Gold (Seide, Stein) made of gold (silk, stone) 1
aus=brechen* burst out 5
aus=denken* think out, contrive 2
der Ausdruck, –es, "̈e expression 5
auseinander=lösen separate from one another 5
aus=reißen* tear out 2
aus=schlafen* sleep enough, sleep one's fill 2
aus=sehen* look, appear 1;

24

das **Aussehen**, –s appearance 5

aus-strecken stretch out 5

außen outside 2

außer (*dat.*) except 2; **außerdem** besides 2

außerordentlich extraordinary 3

auswendig by heart, from memory 4

aus-ziehen* move 5

B

der **Bach, –es, ⸚e brook, rivulet 1

die **Backe, –n cheek 2; der **Backenknochen**, –s, —, cheekbone 5

die **Bahn, –en path, road; railroad 5

***bald** soon, in a short time 1; bald ... bald now ... now 5

die **Ballade**, –n ballad 3

das **Band**, –es, ⸚er ribbon 2

die **Bank, ⸚e bench 3

die **Bank, –en bank 5

der **Bart, –es, ⸚e beard 4

***der **Bauer**, –s *or* –n, –n peasant, farmer 2; die **Bauersfrau**, –en peasant woman, farmer's wife 2; der **Bauernhof**, –es, ⸚e farm 3

***der **Baum**, –es, ⸚e tree 1

beben quiver, quake, tremble 4

bedecken cover 4

***bedeuten** mean, signify 1

befehlen (befiehlt), befahl, befohlen order, command 1; der **Befehl**, –s, –e order, command 1

***beginnen**, begann, begonnen = anfangen begin, start, commence 1

begleiten accompany 4

begraben (begräbt), begrub, begraben bury, inter 2

begrüßen welcome; speak to; say hello 5; die **Begrüßung**, –en welcome 5

behalten, (behält), behielt, behalten keep, retain 5

***bei** (*dat.*) at; by; with; amongst; near; at the home of 1; beim **Kaffee** at coffee 5

***beide** both 2; die beiden the two 2

das **Beil**, –es, –e hatchet; axe 4

***das **Bein**, –es, –e leg 1

***das **Beispiel**, –s, –e example 1; zum **Beispiel** for example 1

beißen, biß, gebissen bite 3

der **Bekannte**, –n, –n acquaintance 5

***bekommen**, bekam, bekommen get, receive, obtain 2

bellen bark, bay 3

beobachten watch, observe 5

berauben rob, deprive of 3

bereit ready; prepared 2

***der **Berg**, –es, –e mountain 1

bergen, (birgt), barg, geborgen (verbergen) hide, conceal 5

berichten report 2; der **Bericht**, –es, –e account, report 2

berühmt famous 3

beschäftigt busy, occupied 4

beschließen, beschloß, beschlossen resolve 3

besonders especially 4

25

beſſer better 1; **das Beſte the best 1

*beſtimmen determine 5; **beſtimmt** determined, definite 5

beſuchen visit 4

beten pray 2

**das Bett, –es, –en bed 2

ſich beugen bend, bow 5

bevor before, ere 2

*bewegen move, stir, budge 2; **ſich bewegen** move, stir 1; take exercise 3; **die Bewegung,** –en movement 4

beweinen weep for, mourn 2

*beweiſen, bewies, bewieſen prove, demonstrate 2; **der Beweis,** –es, –e proof, evidence 2

bewundern admire 3; **die Bewunderung** admiration 3

bezahlen = **zahlen** pay 3

*biegen, bog, gebogen bend; turn 2

das Bier, –es, –e beer 3

**das Bild, –es, –er picture 3

*bilden form, shape, educate 2; **gebildet** educated 2

**billig cheap, reasonable 3

bin am 1

**binden, band, gebunden bind, tie 1

bis to, up to, as far as, until 1; **bis vor wenigen Wochen until (up to) a few weeks ago 1; **bis auf den letzten Pfennig** down to the last penny 3

biſt are (art) 1

bitten, bat, gebeten beg, ask, request 1; **bitte! please 3

bitter bitter 1; **bitterlich bitterly 1

blaſen (bläſt), blies, geblaſen blow 1

blaß pale, pallid 3

**das Blatt, –es, ¨-er leaf 2

**blau blue 1

bleiben, blieb, iſt geblieben stay, remain 1; **ſtehenbleiben* stop 1

**der Bleiſtift, –s, –e pencil 3

*blicken look, glance 4; **der Blick,** –es, –e glance, look 1

blind (auf + dat.) blind (in) 3

*der Blitz, –es, –e lightning 2; **blitzen** lighten, flash 5; **der Blitzjunge,** –n, –n sharp, smart boy 5; **blitzſchnell** fast or swift as lightning 2

blond blond 1

*blühen bloom, blossom; flourish 1

**die Blume, –n flower 3

*das Blut, –es blood 2

**der Boden, –s, ¨-, ground; floor 1

die Bonbons (*pl.*) bonbons 5

böſe bad, evil; angry; wicked 1; **Böſes tun do evil 1; **der Böſe,** –n, –n evil person 3

*braten (brät), briet, gebraten roast; grill, broil; fry 2

**brauchen need, require; use 2

**braun brown 1

*brav good; honest, upright 4

**brechen (bricht), brach, gebrochen break 4

**breit broad, wide 3

**der Brief, –es, –e letter 3

**bringen, brachte, gebracht bring; take, conduct 1

**das Brot, –es, –e bread 1; das Brötchen, –s, —, roll 4

*die Brücke, –n bridge 1

**der Bruder, –s, ", brother 3

*der Brunnen, –s, —, well, fountain 5

*die Bruſt, "e chest; breast 2

**das Buch, –es, "er book 3; die Büchertaſche, –n brief case 3

**der Buchſtabe, –n, –n letter, character, type 2

*der Buſch, –es, "e bush, shrub, thicket 1

**die Butter butter 3

D

**da (*adv.*) there 1; (*conj.*) since, as 3

*das Dach, –es, "er roof 3; das Dachfenſter, –s, —, attic window 4; das Dachzimmer, –s, —, attic (room) 4

*daher hence, therefore 4

*damals then, at that time 3

*die Dame, –n lady 1

**damit (*adv.*) therewith, with it 1; (*conj.*) that, so that 3

**danken thank 3; der Dank, –es thanks 3; danke ſehr = beſten (vielen, ſchönen) Dank many thanks 3

**dann then, at that time 1

daran thereon; at, on, to it 2

darauf thereafter, thereupon, upon it 2

darin in there, therein, in it 3

**darum therefore, for this reason 2

das (*dem.*) that, it 1

**daß (*conj.*) that 2

*dauern last, continue 1

die Decke, –n cover; blanket; tablecloth; bedspread; ceiling 2

*decken cover; set (table) 2

**denken, dachte, gedacht (an + *acc.*) think (of) 1; bei ſich denken think to oneself 1; ſich den Tod zu denken think vividly of death 4

**denn (*conj.*) for; then 1

*dennoch nevertheless 3

der, die, das (*art.*) the 1; (*pron.*) he, she, it 1

derſelbe, dieſelbe, dasſelbe the same 3

*deſto the, so much the 5

**deutſch German 1; (das) Deutſchland, –s Germany 3

dich (*acc. of* du) thee 1

*dicht thick, dense 4

der Dichter, –s, —, poet 3; die Dichtung, –en poetry 3; fiction; das Gedicht, –es, –e poem 3

**dick thick, stout 1

*der Dieb, –es, –e thief 3

**dienen serve 1; der Diener, –s, —, servant 1

**das Dienſtmädchen, –s, —, maid, servant girl 5

**dieſer, dieſe, dieſes this; the latter 1; dies this

**das Ding, –es, –e thing, object 3

dir (*dat. of* du) to thee 1

der Direktor, –s, –toren director, principal (of a school) 3

**doch yet, however; never-

27

theless; but; I hope 1;
(*emphatic*) do: ſetzt euch
doch do sit down 1; es iſt
doch kein Unglück zu Hauſe
geſchehen there has not
been an accident at home,
I hope 5; ich habe doch
nicht geſchlafen I have
not slept (been asleep), I
hope 5

*der Doktor, –s, –toren doc-
tor 3

*der Donner, –s thunder 2;
donnern thunder 2; die
Donnerſtimme, –n thun-
dering voice 2; Donner=
wetter confound it, hang
it 5

*doppelt double 3

**das Dorf, –es, ¨–er village 1

**dort there 2

*drei three 1

*dreißig thirty 3

*dringen, drang, iſt gedrungen
penetrate, sound, come
5

dritt(e) third 2; drittens
thirdly 3

*drücken press; squeeze,
pinch 2; er drückte der
Kranken die Hand he
pressed the patient's
hand 5

du thou, you 1

**dumm (dümmer, dümmſt)
stupid, silly 1

**dunkel dark, obscure 2; das
Dunkel, –n the dark 4

**dünn thin, slim 1

**durch (*acc.*) through, by 1

*durchaus thoroughly, abso-
lutely 5

**dürfen (darf), durfte, ge=

durft may, can, be per-
mitted *or* allowed 2

**der Durſt, –es thirst 2; dur=
ſtig thirsty 2

E

**eben just; just now 3; das
iſt es eben that's just it 4;
ebenſo just as *or* so 3;
ebenſowenig just as little 3

*ebenfalls likewise, also 4

*die Ecke, –n corner 1

*edel noble

*ehe = bevor before, ere 2

*die Ehre, –n honor 2; ehren
honor, esteem, respect 2

*das Ei, –es, –er egg 3

*die Eiche, –n oak 2

*der Eifer, –s zeal; ardor 4;
eifrig eager; ardent 4

**eigen own, proper 2

*eilen hasten, hurry 2; eilig
hasty 5

*ein, eine, ein a, an, one 1;
eines Tages one day 1;
eines Mittags one noon 3

**einander one another; each
other 2; aneinander to-
gether; to *or* against one
another 3; miteinander
with one another 2; zu=
einander to one another 2

**einige a few, some, several 2;
nach einiger Zeit after
some time 2

ein=laden (lädt ein), lud ein,
eingeladen invite 3; die
Einladung, –en invita-
tion 3

**einmal once 1; auf einmal
all at once, suddenly, all of
a sudden 1; es war einmal

there was once (upon a time) 3

*einsam lonesome, solitary 3

ein=schlafen fall asleep 2

*einst once; formerly 4

ein=treten* enter, step in 3

*einzeln single, separate 5; einzelstehend isolated, detached 5

*einzig only, sole 1

*das Eis, –es ice 3

*das Eisen, –s, —, iron 2; aus Eisen made of iron 2; die Eisenstange, –n iron bar 2

*die Eisenbahn, –en railroad 3

der Elefant, –en, –en elephant 4

**die Eltern (*pl.*) parents 5

*empfangen (empfängt), empfing, empfangen receive, welcome 2

*empfinden, empfand, empfunden feel, perceive 4; die Empfindung, –en feeling, sensation 5

*das Ende, –s, –n end, close, finish 2; enden end 4; endlich final(ly) 1; am Ende in the end, at last, perhaps 2; einen Satz zu Ende sprechen finish a sentence 5

**eng narrow, tight 4

*(das) England England 1; englisch English 1; auf englisch in English 1

die Entensuppe duck soup 1

*entlang along 1; den Weg entlang along the way (road, path) 1; die Straße entlang along the street 3

*entscheiden, entschied, entschieden decide 4

*entschließen, entschloß, entschlossen decide, resolve, determine 4; sich entschließen resolve, determine 4

*entstehen, entstand, ist entstanden arise, originate 4

er he 1

**die Erde, –n earth, ground 2; zur Erde to earth, to the ground 2

*erfahren (erfährt), erfuhr, erfahren learn, come to know, find out; experience 2; erfahren experienced 5

*der Erfolg, –es, –e success 4

erfüllen fulfill 4

sich erholen recover, recuperate 4

*sich erinnern (+ *gen.*) remember 3

erkennen, erkannte, erkannt recognize 1

*erklären explain; declare 3

*erlauben allow, permit; sich erlauben allow oneself; afford 5

*erlei: allerlei all kinds of 4

sich ernähren nourish, feed, support oneself 4

*ernst(lich) serious(ly), earnest(ly) 1

die Erscheinung, –en appearance; figure 5

erschrecken (erschrickt), erschrak, erschrocken be scared *or* frightened 2

**erst first 2; erstens firstly 3

erstaunen astonish 3

erwarten await, expect 3

**erzählen tell, relate, narrate 1; die Erzählung, –en story, tale 3

*erziehen, erzog, erzogen
bring up; educate 5

es it 1

**der Esel, –s, —, ass, donkey 1

**essen (ißt), aß, gegessen eat
2; das Essen, –s, —, meal
2; das Eßzimmer, –s, —,
dining room 5

*etwa about, approximately 3

**etwas something; some 1;
etwas Böses tun do some-
thing evil 1; etwas
Schönes something beau-
tiful 1; etwas zum Lachen
something funny 1

euer your 1

die Eule, –n owl 4

*ewig everlasting, eternal 4

F

**fahren (fährt), fuhr, ist ge-
fahren ride, drive; go 3

**fallen (fällt), fiel, ist gefallen
fall 1; fallen lassen drop 2;
ein Schuß fiel a shot was
fired 4

**falsch false, wrong; deceit-
ful 2

die Falte, –n fold, crease 3

**die Familie, –n family 3

**fangen (fängt), fing, ge-
fangen catch; capture 2

**die Farbe, –n color, dye;
paint 2; färben color,
dye, stain 2; sie färbt sich
das Gesicht she stains her
face 2

*das Faß, –sses, ̈-sser barrel,
cask 3

*fassen grasp; seize, take hold
(of) 3

*fast almost, nearly 3

die Faust, ̈-e fist 5

**die Feder, –n feather, plume;
pen 1

**fehlen be missing 1; ail;
was fehlt dir (Ihnen)?
what is the matter with
you? 1

**der Fehler, –s, —, mistake,
blunder 3; fehlerlos fault-
less 3

*feiern celebrate; rest from
work 2; die Feier, –n festival, celebration 2; der
Feiertag, –s, –e holiday 5

**fein fine; excellent, splen-
did 1; delicate; sly 3

**der Feind, –es, –e enemy 4

**das Feld, –es, –er field,
meadow 3

**das Fenster, –s, —, window 1

*fern far, distant 3; die
Ferne, –n distance 3

**fertig ready, finished, done
1; fertig-werden* man-
age, cope with 2; fertig-
machen finish 2

**fest firm, solid 2; steady,
fast, fixed 2; fest-halten*
hold fast or firm 2

*das Fest, –es, –e feast, fes-
tival 2

fett fat 3

der Fettfleck grease spot 1

feucht moist, humid 5

**das Feuer, –s, —, fire 2

das Fieber, –s fever 5; fieberhaft feverish 5; fieberlos free of fever, without
fever 5

**finden, fand, gefunden find 1

**der Finger, –s, —, finger 1;
ich schneide mich in die
Finger I cut my fingers 1

**der Fiſch, -es, -e fish 1

*die Flamme, -n flame 4; **flammen** flame, blaze 4

die Flaſche, -n bottle 4; **eine Flaſche Bier** a bottle of beer 4

**das Fleiſch, -es meat, flesh 1

*die Fliege, -n fly 2

**fliegen, flog, iſt geflogen fly 1

die Flocke, -n flake (of snow) 5

der Flügel, -s, —, wing 4

flüſtern whisper 4

der Fluß, -ſſes, -̈ſſe river 1

**folgen (*dat.*) follow 2

fort away, off, gone 1; **fort=fliegen* fly away 1; **fort=gehen*** go away 5; **fort=laufen*** run away 2; **fort=müſſen*** have to go *or* depart 5; **fort=ziehen*** pull away 3

fragen ask, inquire 1; **fragen (**nach** + *dat.*) ask *or* inquire (about) 3; **die Frage, -n** question 1; **eine Frage ſtellen** (**an** + *acc.*) ask a question, direct a question (to) 5

die Frau, -en woman; wife; Mrs. 2; **zur Frau as (a) wife 2

frech bold, impudent 3

**frei free, frank 2

*freilich certainly, to be sure 5

fremd strange, unknown; foreign 1; **der Fremde, -n, -n stranger 3

*freſſen (frißt), fraß, gefreſſen devour, eat (like an animal) 3

die Freude, -n joy, delight, pleasure 2; **vor Freude with (for) joy 3; **ſich freuen** (**über** + *acc.*) be happy *or* glad (about) 1

der Freund, -es, -e friend 1; **die Freundin, -nen (woman) friend 1; **freund=lich** friendly, kind 1; **die Freundlichkeit, -en** friendliness 5

*der Friede(n), -ns, -n peace 2; **friedlich** peaceful 2

*friſch fresh, brisk 2

froh = fröhlich joyful, glad, happy 1; **etwas Fröh=liches something joyful 1

**die Frucht, -̈e fruit 4

früh early 1; **früher former(ly) 5

*das Frühſtück, -s, -e breakfast 3

**fühlen feel, perceive 1

**führen lead, conduct, guide; take 1

*füllen fill 4

*fünf five 2; **fünft** fifth 2

*fünfzehn fifteen 3

*fünfzig fifty 3

**für (*acc.*) for, in place of 1

*fürchten fear, dread 1; **ſich fürchten** (**vor** + *dat.*) be afraid (of) 1; **die Furcht** fear, fright 1; **Furcht haben** be afraid 1

der Fuß, -es, -̈e foot 2; **zu den Füßen at the feet 4

der Fußboden, -s, -̈, floor 5; **der Fußtritt, -s, -e footstep 4

*das Futter, -s fodder 1

G

**die Gabel, -n fork 2

31

**ganz whole, entire, complete; quite 1

*gar: gar kein none at all 4; **gar nicht** not at all 1; **gar nichts** nothing at all 3

**der Garten, –s, ‐̈, garden 1

der Gast, –es, ‐̈e guest 3; **das Gastzimmer, –s, —, guest room 3

*das Gebäude, –s, —, building 3

geben (gibt), gab, gegeben give 1; **es gibt there is (are) 3; **was gab es?** what was there? what did they have? 3

gebildet educated 5

*geboren born 3; **der Geburtstag,** –es, –e birthday 3; **die Geburtstagsfeier,** –n = **das Geburtstagsfest,** –es, –e birthday celebration 3

der Gedanke, –ns, –n thought 4

das Gedicht, –es, –e poem 3

*die Gefahr, –en danger, peril 2

gefallen (gefällt), gefiel, gefallen please 2; **es gefällt mir I like it 2; **der Gefallen,** –s, —, favor 4

**gegen (*acc.*) against, toward 3

*geheim = heimlich secret, clandestine 4; **das Geheimnis,** –sses, –sse secret, mystery 4

gehen, ging, ist gegangen go; walk; run 1; **wie geht es dem Vater? how is Father? 5; **das geht (nicht)** that will (not) do 5; **es**

geht mir gut (schlecht) I feel *or* am feeling well (badly) 1

die Gehirnkrankheit, –en brain fever 5

**gehören (*dat.*) belong 3

*der Geist, –es, –er ghost, spirit; mind 2

geküßt (*p.p.* of **küssen**) kissed 1

gelaufen (*p.p.* of **laufen**) run 1; **gelaufen kommen** come running 2

**gelb yellow 2

das Geld, –es, –er money 1; **die Geldtasche, –n purse 3

*gelingen, gelang, ist gelungen succeed, be successful 5; **es gelingt mir** I succeed 5; **das soll ihnen nicht gelingen** they shall not succeed 5

*gelten (gilt), galt, gegolten be worth, be of value 5

die Gemeinde, –n community, municipality; parish, congregation 3

*das Gemüse, –s, —, vegetable 2

**genau exact(ly), accurate(ly), precise(ly) 3

*genießen, genoß, genossen enjoy 3

**genug enough 1

*genügen suffice 5

geöffnet (*p.p.* of **öffnen**) opened 1

**gerade just, just then, just now 1

das Geräusch, –es, –e noise 4

*gering slight, inferior; little 5

gern(e) (lieber, liebst) willingly, with pleasure, gladly 1; **gern haben like, be fond of 2; **gern lachen** be fond of laughing, like to laugh 1; **gern(e) reisen** like to travel 3

gesagt (*p.p. of* sagen) said 1

****das Geschäft,** –es, –e business 2; **ein Geschäft machen** do business 2; **das Geschäftshaus,** –es, –er business house 3; **der Geschäftsmann,** –es, –leute business man 3

****geschehen** (geschieht), geschah, ist geschehen happen 3

das Geschenk, –es, –e present, gift 1

****die Geschichte,** –n story, history 3

geschickt apt, skilled 5

die Geschwister (*pl.*) brothers and sisters 5

gesehen (*p.p. of* sehen) seen 1

***die Gesellschaft,** –en company, society, party 3

****das Gesicht,** –es, –er face 1; **ein fröhliches (saures) Gesicht machen** put on a happy (wry) face 1

***die Gestalt,** –en form, figure, shape 2

****gestern** yesterday 3; **gestern abend** last night 4

****gesund** healthy 5

getan (*p.p. of* tun) done 1

***die Gewalt,** –en power, force 5

gewesen (*p.p. of* sein) been 1

***gewinnen,** gewann, gewonnen win, gain 3

****gewiß** certain(ly), sure(ly) 1

***gewöhnlich** common, ordinary, vulgar; customary, usual 1

das Gift, –es, –e poison 2; **giftig** poisonous 2

***der Gipfel,** –s, —, summit, top 2

****das Glas,** –es, –er glass 1; **ein Glas Bier** a glass of beer 3

****glauben** believe; think, suppose 2

****gleich** (*adv.*) at once, directly 3

***gleich** (*adj.*) same, equal 2; **das Gleiche** the same 2

gleiten, glitt, geglitten glide, slide 5

***das Glied,** –es, –er limb, member 5

die Glocke, –n bell 3

****das Glück,** –es luck, happiness, good fortune 1; **glücklich** lucky, fortunate, happy 1; **das Glückskind,** –es, –er fortunate child *or* person 1

glühen glow 2

***das Gold,** –es gold 1; **aus Gold** made of gold 1; **der Goldfisch,** –es, –e goldfish 1; **golden** golden 1

****der Gott,** –es, –er God 1; **um Gottes willen** for heaven's sake 1

***graben** (gräbt), grub, gegraben dig 1; **das Grab,** –es, –er grave 1

****das Gras,** –es, –er grass 1

***greifen,** griff, gegriffen grasp, seize 4

Grete Margaret 3

**groß (größer, größt) great, grand; large, big, tall 1

*die Großmutter, ¨, grandmother 1; **der Großvater,** –s, ¨, grandfather 1; **der Großvezier,** –s grand vizier 4

**grün green 2

*der Grund, –es, ¨e reason; ground 1; bottom; **aus diesem Grunde** for this reason 1; **aus welchem Grunde** for what reason 4

die Gruppe, –n group 5

**grüßen greet 4

*die Gunst favor 5; **günstig** favorable 5; **Günstiges** favorable (things, matters) 5

der Gürtel, –s, —, girdle, belt 2

gut (besser, best) good; well 1; **der Gute, –n, —, good (person) 3

*das Gut, –es, ¨er estate; farm; possession 3

H

**das Haar, –es, –e hair 1

haben (hat), hatte, gehabt have, possess 1; **ich habe es seit einem Jahre I have had it (for) one year 3; **Hunger haben** be hungry 1

*der Hafen, –s, ¨, harbor, port 3

*der Hahn, –es, ¨e cock; rooster 3

halb half 3; **halbgeöffnet half open 5

**der Hals, –es, ¨e neck; throat 4

halten (hält), hielt, gehalten hold; keep; stop 1; **halten (für + acc.) regard as, take for 5

die Hand, ¨e hand 1; **eine Handvoll a handful 5; **das Handtuch,** –s, ¨er towel 5; **die Handschrift,** –en manuscript 3; **der Handwerksbursche,** –n, –n traveling artisan 3

*hangen = **hängen,** hing, gehangen hang (up), be suspended 1; **hängen bleiben** be caught, remain hanging 2

Harras a name 4

**hart (härter, härtest) hard, harsh 1

*hassen hate 1; **häßlich** ugly; hateful 1

hat has 1

*der Haufe(n), –ns, –n heap, pile 3; crowd; **das Häufchen,** –s, —, little heap or crowd 5

*das Haupt, –es, ¨er head 4

das Haus, –es, ¨er house 1; **nach Hause gehen go home 2; **zu Hause sein** be at home 1; **die Haustür,** –en street (or front) door 3

*die Haut, ¨e skin, hide 4

*heben, hob, gehoben lift, raise; heave 2

**das Heft, –es, –e notebook 3

*das Heil, –es welfare; happiness 4; **heil** hail 4

*heilig holy, sacred 5

**das Heim, –s, –e home, homestead 5

heimlich = **geheim** secret 4

*heiraten marry, wed 2; **die**

Heirat, –en marriage, wedding 2

*****heiß** hot 3

******heißen,** hieß, geheißen be called, be named 1

*****der Held,** –en, –en hero 2

******helfen** (hilft), half, geholfen help, aid, assist 1; **es hilft alles nichts** nothing (does) will do any good 1

******hell** light, bright; clear 2

******das Hemd,** –es, –en shirt 3

die Henne, –n hen 3

******her** here (toward me), hither 1

herab down, downwards 2

heran=wachsen* grow up 2

heraus out, outside 2; **heraus=kommen*** come out 2; **heraus=nehmen*** take out 3; **heraus=ziehen*** pull, draw out 2

*****herbei** here, hither 2; **herbei=bringen*** bring hither *or* near 5

der Herd, –es, –e hearth, fireplace 5

*****die Herde,** –n herd, flock 3

herein in, inside 2; **herein=tragen*** carry in 3

her=kommen* come hither *or* near 5

******der Herr,** –n, –en gentleman, Mr.; sir; master, lord 1; **Herr Doktor** doctor 5

******herrlich** excellent, splendid, magnificent, glorious 1

*****hervor** forth, out 4; **hervor=brechen*** break forth 4; **hervor=bringen*** bring forth; utter 5

******das Herz,** –ens, –en heart 1; **herzlich** hearty, cordial 5;

ein Herz zu jemandem fassen take a liking to someone 5; **schweren Herzens** with a heavy heart 3

******heute** today 1; **heute morgen** this morning 1; **heute abend** this evening, tonight 3

******hier** here, in this place 1

******der Himmel,** –s, —, sky, heaven 1; **um des Himmels willen** for heaven's sake 4

******hin** there, to that place; away (from me) 1; **hin und her** to and fro, back and forth, there and back 2

hinab down 3; **hinab=steigen*** descend 4

hinauf up, upstairs 5

hinaus out, outside 1; **hinaus=eilen** hurry out 3; **hinaus=fahren*** drive out 3; **hinaus=gehen*** go out 1; **hinaus=sehen*** look out 1; **hinaus=treten*** step out 4; **hinaus=wandern** go, wander out 1; **hinaus=ziehen*** march out, go out 2

hinein in, into, inside 2; **hinein=denken*** think (deeply) into 5; **hinein=führen** lead into 4; **hinein=gehen*** go in 3

******hinter** (*dat. or acc.*) behind 1

der Hintergrund, –es, ¨e background 5

hinunter down 4; **hinunter=werfen*** throw down 4

der Hirt, –en, –en herdsman, shepherd 3

******hoch** (höher, höchst) high, tall 1

die Hochzeit, –en wedding 2;
das Hochzeitsfest, –es, –e
wedding feast *or* festival
2; die Hochzeitsfeier =
das Hochzeitsfest 2
**der Hof, –es, ⸚e court; yard;
farm 2; die Hofleute (*pl.*)
courtiers 2
*hoffen hope 2; hoffen (auf
+ *acc.*) hope (for) 5; die
Hoffnung, –en hope 4
die Höhle, –n cave, cavern 2
**holen get, fetch 3
holländisch Dutch 3
**das Holz, –es, ⸚er wood 2
horchen listen, harken 4
**hören hear 1
das Horn, –es, ⸚er horn;
bugle 2
hübsch pretty, handsome 4
das Huhn, –es, ⸚er chicken 3
der Humor, –s humor 3; der
Humorist, –en, –en hu-
morist 3
**der Hund, –es, –e dog 3
*hundert hundred 3
**der Hunger, –s hunger 1;
Hunger haben be hungry 5;
hungrig hungry 1
**der Hut, –es, ⸚e hat 1

J

ich I 1
ihm (to) him, (to) it 1
ihn him, it 1
ihr (to) her, (to) it 1
im = in dem in the 1
**immer always; ever 1; im-
mer noch still 1; immer
wieder = wieder und wie-
der again and again 1
**in (*dat.*) in, within, at; (*acc.*)
into 1

*indem while 4
*indes = indessen meanwhile;
however 2
*innen within, inside, inter-
nal(ly) 2
ins = in das in (into) the 1
interessant interesting 2
*das Interesse, –s, –n inter-
est 4
**irgend ein any 4; irgend
etwas anything 4; ir-
gendwo anywhere 4
*irren err 3; sich irren be mis-
taken 3; der Irrtum, –s,
⸚er error, mistake 3
ist is 1

J

**ja yes; indeed; in fact; to
be sure; why; well 1
*jagen chase, hunt; rush,
dash 5; der Jäger, –s, —,
hunter 2; das Jägerhaus,
–es, ⸚er hunter's house *or*
lodge 4; der Jägerhut, –es,
⸚e hunter's hat 4
**das Jahr, –es, –e year 1
*je ever, at any time 4; je
... desto the ... the 5
**jeder (jede, jedes) each,
every 1
*jedoch however 5
**jemand somebody, some-
one 1
**jener (jene, jenes) that (one),
the former 2
**jetzt now, at present 1
*die Jugend youth 3; jugend-
lich youthful 4
**jung (jünger, jüngst) young,
youthful 1; der Junge, –n,
–n boy, lad 2

36

**der Kaffee, –s coffee 3
**der Kaiser, –s, —, emperor 3
das Kalb, –es, ⸚er calf 3
der Kalender, –s, —, calendar 3
der Kalif, –en, –en caliph 4
**kalt (kälter, kälteſt) 2 cold, frigid 1; die Kälte cold, coldness 5
**der Kamm, –es, ⸚e comb 2; kämmen comb 2
*der Kampf, –es, ⸚e combat, fight, struggle 2; kämpfen combat, fight, struggle 2
die Kanne Milch can of milk 3
**die Kartoffel, –n potato 3
**der Käſe, –s, —, cheese 2; ein Stück Käſe a piece of cheese 3
**der Kaſten, –s, —, or ⸚, box, chest 3
**die Katze, –n cat 3; die Katze im Sack kaufen buy a pig in a poke 4; das Kätzchen, –s, —, (little) kitten 3; der Katzenfreund, –es, –e friend of cats 3; die Katzenmuſik = ſchlechte Muſik noise 3
**kaufen buy, purchase 1; der Kaufmann, –es, –leute merchant 4
*kaum hardly, scarcely 2
**kein no, not a, not any 1
**kennen, kannte, gekannt know (by acquaintance), be acquainted with 1; kennen lernen become acquainted with 5
der Kerl, –s, –e fellow, chap 3

die Kerze, –n candle 4; ein Stück Kerze a piece of candle 4
**das Kind, –es, ⸚er child 1; das Kinderauge, –s, –n child's eye 5; das Kinderhäufchen, –s, —, little group of children 5; das Kinderheim, –s, –e children's home 5; der Kinderkopf, –es, ⸚e child's head 5; kinderlos childless 5; der Kindervers, –es, –e nursery rhyme 5
**die Kirche, –n church 1
*klagen (über + acc.) complain (about), lament 3
klappern chatter 4
**klar (klarer, klarſt) clear, distinct 1
**die Klaſſe, –n class 3; der Klaſſenlehrer, –s, —, class teacher 3
*das Kleid, –es, –er dress, gown; (pl.) clothes 1
**klein (kleiner, kleinſt) little, small 1; der (die, das) Kleine, –n, –n little one 3
*klingeln ring 5; es klingelt there is a ring at the door 5
*klopfen knock, rap 2
klug (klüger, klügſt) intelligent, clever 3
**der Knabe, –n, –n boy, lad 5
*das Knie, –s, (–e) knee 1; knien kneel 1
*der Knochen, –s, —, bone 5
*kochen cook, boil 2; der Koch, –s, ⸚e cook, chef 2
**kommen, kam, iſt gekommen come 1; kommen laſſen send for 3

der **König, –s, –e king 1; die
Königin, –nen queen 1

****können** (kann), konnte, ge=
konnt can, be able (to),
know how to 1

der **Kopf, –es, –e head 1;
von Kopf zu Fuß from top
to toe 2

der **Korb,** –es, –e basket 3

der **Körper, –s, —, body 4

****kosten** cost; taste 2; **kostbar**
costly, precious 4

*die **Kraft,** –e force, power,
strength 2; **kräftig** forceful, powerful 3

****krank** (kränker, kränkst) sick,
ill 3; der (die) **Kranke,** –n,
–n sick person, patient 5;
das **Krankenhaus,** –es, –er
hospital 5; die **Krankheit,**
–en sickness, illness 5

der **Krebs,** –es, –e crab 3

der **Kredit,** –s, –e credit 3;
der **Kreditbrief,** –(e)s, –e
letter of credit 3

kriechen, kroch, ist gekrochen
creep, crawl 2

*der **Krieg,** –es, –e war, war-
fare 2; der **Kriegsheld**
warrior-hero 2

das **Kristall,** –s, –e (or mas.)
crystal 1

*die **Krone,** –n crown 1

die **Küche,** –n kitchen 5

*der **Kuchen,** –s, —, cake 3

*die **Kuh,** –e cow 3

****kühl** cool, fresh 1

der **Kunde,** –n, –n customer 3

*die **Kunst,** –e art; skill 2

****kurz** (kürzer, kürzest) short,
brief 1

***küssen** kiss 1; der **Kuß,** –sses,
–sse kiss 1

C

*ˡ**lächeln** smile 3; das **Lächeln,**
–s smile 3

****lachen** laugh 1; etwas zum
Lachen something funny 1

*der **Laden,** –s, –, store, shop 1
laden, lud, geladen charge 4

*die **Lampe,** –n lamp 4

das **Land, –es, –er land,
country 1; aufs Land ge=
hen go to the country 3;
die **Landstraße,** –n road,
highway 3

****lang** (länger, längst) long 1;
lange for a long time,
long 1

****langsam** slow(ly) 1

****lassen** (läßt), ließ, gelassen
let, leave, allow to, per-
mit 1; warten lassen let
or permit to wait 1

lateinisch Latin 4

die **Laterne,** –n lantern 3

****laufen** (läuft), lief, ist ge=
laufen walk, go on foot;
run 1

****laut** loud, aloud; noisy 1

****leben** live, be alive; das
Leben, –s, —, life 1; le=
bendig alive, living 2;
lebhaft lively, vivid 5

****leer** empty 3

****legen** lay, put, place 1; sich
legen lie down 1

****lehren** teach 3; die **Lehre,** –n
lesson 3; der **Lehrer,** –s,
—, teacher 3; das **Lehrer=**
zimmer, –s, —, teachers'
room, faculty room 3

*der **Leib,** –es, –er body;
waist 2

die **Leiche,** –n corpse 3; der

Leichenwagen, –s, —, hearse 3; **der Leichenzug,** –es, ⸚e funeral procession 3

leicht light; easy; slight 2

leiden, litt, gelitten suffer; bear, endure 2

leid tun* feel sorry, regret 2; **es (er) tut mir leid** I feel (am) sorry for it (him) 2

leise soft, gentle, low 1

lernen learn 3

lesen (liest), las, gelesen read 2

letzt last, final 1

leuchten emit (shed) light 4

die Leute (*pl.*) people 2

das Licht, –es, –er light; candle 2; **der Lichtschimmer,** –s, —, gleam of light 4

lieb dear, beloved 1; **lieb haben** be fond of 2; **das Liebste** dearest, most precious possession 2

lieben love 1; like 4; **geliebt** beloved 4

lieber rather, sooner 3; **lieber haben** prefer 3

der Liebling, –s, –e favorite 5; **die Lieblingsfrucht,** ⸚e favorite fruit 5

das Lied, –es, –er song; air; tune 1

liegen, lag, gelegen lie, be situated 1; **liegen bleiben** remain lying, stay 2

link left 2; **nach links** to the left 2

die Lippe, –n lip 5

die Literatur, –en literature 3; **die Literaturgeschichte,** –n history of literature 3

loben praise 3; **Gott sei gelobt** God be praised 4; **das Lob,** –es, –e praise 3

der Löffel, –s, —, spoon 2

los loose; *suffix* less 4

lösen solve; break, loosen 4; relax 5

los=gehen* (auf + *acc.*) go straight up to 4

los=kommen* (auf + *acc.*) come straight up to 4

los=lassen* let go, let loose 2

los=rennen* (auf + *acc.*) run, leap toward *or* at 2

los=werden* get rid of 2

die Luft, ⸚e air 1

die Lust, ⸚e desire 5; **Lust haben** have a mind, feel like 5

M

machen make, do 1; **ein fröhliches (saures, ernstes) Gesicht machen** put on a happy (wry, serious) face 1; **einen Kopf kürzer machen** make shorter by a head 1; **sich auf den Weg machen** set out (on one's way) 3

die Macht, ⸚e might, power, force 2; **mächtig** mighty, powerful 4

das Mädchen, –s, —, girl, maiden, maid 1; **die Mädchenzeit** girlhood 5

das Mal, –es, –e time 1; **einmal** once 1; **auf einmal** suddenly 1

malen paint 3; **der Maler,** –s, —, painter 3

man one, people, they 1

mancher many a; (*pl.*) some 3

39

der Mann, –es, ¨er man; male; husband 1

der Mantel, –s, ¨, cloak, overcoat 3

*der Markt, –es, ¨e** market 3; **der Marktplatz, –es, ¨e** market place 3

die Marmelade, –n marmalade 2

*der Marsch, –es, ¨e** march 4; **marsch, hinunter** hurry up, get down 5

*die Mauer, –n** wall (*of stone or brick*) 4

die Maus, ¨e mouse 2; **mausetot** dead as a doornail 2

das Meer, –es, –e sea, ocean 3

mehr more 1; **nicht mehr** no more, no longer 1; **mehrere** several 3

die Meile, –n mile 2

mein, meine, mein my 1

meinen think; believe; mean; say 2; **die Meinung, –en** opinion 4

meist most 3; **meistens** mostly 3

*der Meister, –s, —,** master 3

*die Menge, –n** crowd, multitude; quantity 2

der Mensch, –en, –en man (*in general*), human being 1

*merken** note, notice, mark 2

die Messe, –n (trade) fair 3

das Messer, –s, —, knife 2

*der (das) Meter, –s, —,** meter 1; **meterlang** a meter long 1

mich me 1

*die Milch** milk 3; **der Milchmann, –es, ¨er** milkman 3;

das Milchmädchen, –s, —, milkmaid 3; **der Milchwagen, –s, —,** milk wagon 3

mild(e) mild, gentle, soft 1

die Minute, –n minute 4

mir me, to me 1

*mischen** mix, mingle 5

der Mißerfolg, –es, –e failure 4

mit (*dat.*) with, along 1

miteinander with one another, together 4

mit-essen* partake of a person's dinner 3

mit-kommen* come along 1

das Mitleid compassion, sympathy, pity 5; **mitleidig** compassionate(ly) 5

mit-nehmen* take along 1

der Mitschüler, –s, —, schoolmate, classmate 3

mit-singen* join in singing 4

der Mittag, –s, –e midday; noon 3; **eines Mittags** one noon 3; **das Mittagessen, –s, —,** dinner 3

die Mitte, –n middle, center 1

das Mittel, –s, —, means; remedy 3

*mögen (mag), mochte, gemocht** may, like, care for 3; **wie es auch sein mag** however it may be 3

*möglich** possible 1

der Monat, –s, –e month 4

der Mond, –es, –e moon 4

*der Mord, –es, –e** murder 4; **der Mörder, –s, —,** murderer 4

*morgen** tomorrow 1; **heute morgen** this morning 1; **morgen früh** tomorrow

morning 1; morgen nach=
mittag tomorrow after-
noon 5

**der Morgen, –s, —, morning
1; am Morgen in the
morning 2; eines Morgens
one morning 2; die Mor=
genstunde, –n morning
hour 3; das Morgenlied,
–es, –er morning song 4

**müde tired, weary 2

mühsam painstaking, toil-
some 5

**der Mund, –es, –e mouth 2

*die Musik music 3

**müssen (muß), mußte, ge=
mußt must, be compelled
to, have to 1

*der Mut, –es courage 3; mir
ist ganz sonderbar zumute
I feel quite peculiar 4

**die Mutter, ", mother 1;
mütterlich motherly 5

N

na well, well now 5

**nach (dat.) after; to; to-
ward; according to 1;
nacheinander one after
the other 4

nach=ahmen imitate 4; die
Nachahmung, –en imita-
tion 4

*der Nachbar, –s or –n, –n
neighbor (masc.) 3; die
Nachbarin, –nen neighbor
(fem.) 5

**nachdem after 4

der Nachmittag, –s, –e afternoon 4

nächst next, nearest 3

*die Nacht, "e night 2

*nah(e) (näher, nächst)
near-by; close 2

**der Name(n), –ns, –n
name 1

**die Nase, –n nose 1; die Na=
senspitze, –n tip of the
nose 1

*die Natur, –en nature 3;
natürlich natural(ly), of
course 2

**neben (dat. or acc.) beside,
next to 2; nebeneinander
side by side, next to one
another 2

**nehmen (nimmt), nahm, ge=
nommen take 1

*der Neid, –es envy 2; vor
Neid with envy 2; neidisch
envious 2

**nein no 1

**nennen, nannte, genannt
name, call 1

*das Nest, –es, –er nest 2

nett nice, tidy, trim, neat 2

**neu new 3

*neunzig ninety 3

**nicht not 1; nicht einmal not
even 2; nicht mehr no
longer, no more 1; nicht
wahr? isn't it so (true)? 4

**nichts nothing 1; nichts als
nothing but 2

*nicken nod, beckon 5

**nie never 1

*nieder down 1; nieder=legen
lie down; put down 4;
sich niederlegen lie down
5; nieder=schlagen* cast
down 1; die Augen nieder=
schlagen cast down one's
eyes 1

**niemand nobody, no one 1

**noch still, yet, in addition 1;

noch einmal once more 1;
noch etwas something be-
sides 3; noch immer still 1;
noch nicht not yet 1; noch
nichts nothing yet 3

**der Nord(en), –s north 3

*die Not, ⸚e want, need; dis-
tress 3; not tun be necessary 3

*nötig necessary 2

*der November, –s Novem-
ber 5

**nun now; well 1

**nur only 1

O

**ob (conj.) whether 2

**oben upstairs, above 4; hier
oben up here 4

der Ochse, –n, –n ox 3

**oder (conj.) or 1

**der Ofen, –s, ⸚, oven, stove 3
offen open 3

*der Offizier, –s, –e officer 2

**öffnen open 1

**oft often, frequently 1

**ohne (acc.) without 1; ohne
ein Wort zu sagen without
saying a word 1; ohne zu
antworten without ans-
wering 5; ohne sie anzu-
sehen without looking at
her 5; ohne zu verlieren
without losing 5

**das Ohr, –s, –en ear 1; die
Ohrfeige, –n box on the
ear, slap 3

**der Onkel, –s, —, uncle 1
ordentlich orderly; prop-
er(ly) 2

die Ordnung, –en order, arrangement 2; in Ordnung
bringen set in order 5; in
Ordnung halten keep in
order 2

*der Ort, –es, –e place; ham-
let 3

**der Osten, –s east 4

P

**das Paar, –es, –e pair,
couple 3; ein paar a
couple, a few 3

**das Papier, –s, –e paper 4
der Park, –(e)s, –e or –s
park 1

die Pause, –n pause 4

der Pechvogel unfortunate
person 1

die Perle, –n pearl 4

die Pfeife, –n pipe 4

**der Pfennig, –s, –e penny;
German copper coin, worth
about one quarter cent 3

**das Pferd, –es, –e horse 1;
der Pferdemarkt, –es, ⸚e
horse fair 3; der Pferde-
stall, –es, ⸚e horse's stable 3

pflegen nurse, take care of 5;
die Pflege care 5; die Pflegerin, –nen nurse 5

*die Pflicht, –en duty 5

das Pfund, –es, –e pound 2

die Pistole, –n pistol 3

der Plan, –es, ⸚e plan 3;
einen Plan fassen make a
plan 3; planen plan 5

**der Platz, –es, ⸚e place;
seat 2

*plötzlich sudden(ly) 4

die Polizei police 3

*die Post post, mail 3; der
Postwagen, –s, —, mail
coach, stagecoach 3

42

prächtig splendid, magnificent 4

predigen preach 3; **der Prediger,** –s, —, preacher 3; **die Predigt,** –en sermon 3

*****der Preis,** –es, –e price; prize 4

*****der Prinz,** –en, –en prince 1; **die Prinzessin,** –nen princess 1

der Professor, –s, –ssoren professor 3

der Prophet, –en, –en prophet 4

*****prüfen** test, examine; search 5

****das Pult,** –es, –e desk 3

das Pulver, –s, —, powder 4

putzen clean, wash; polish; adorn 1

R

die Rache revenge 4

der Rahmen, –s, —, frame 2

*****der Rat,** –es advice, council 1; **raten,** (rät) riet, geraten advise; guess 1

rauben rob 3; **der Räuber,** –s, —, robber 3; **berauben** rob, deprive of 3

rauchen smoke 4

rauh rough, brusque 5

*****der Raum,** –es, ¨e room; space 4

****recht** right (hand), correct, true 2; **nach rechts** to the right 2; **recht haben** be right 4; **das (es) ist mir recht** that (it) suits me 2

*****das Recht,** –es, –e right, law; justice 2

*****reden** talk, speak 1

*****die Regel,** –n rule 4; **in der Regel** as a rule 4

*****der Regen,** –s rain 4; **regnen** rain 4

das Reh, –es, –e deer 1

*****das Reich,** –es, –e nation 1

****reich** rich 3; **der Reichtum,** –s, ¨er riches, wealth 3

****reichen** reach, hand to, pass 3

*****reif** ripe, mature 5

*****die Reihe,** –n row, rank 3

****rein** clean, neat; pure 2

****reisen** travel 3; **die Reise,** –n trip, journey 3; **der Reisende,** –n, –n traveler 3; **die Reisetasche,** –n traveling bag 3

*****reißen,** riß, gerissen tear, pull 2

****reiten,** ritt, ist geritten ride (on horseback) 1; **der Reiter,** –s, —, rider, horseman 1

*****reizen** charm 5; **reizend** charming 5

rennen, rannte, ist gerannt run, race 2

*****retten** save, rescue 3; **die Retterin,** –nen rescuer, deliverer 4

****richtig** correct, accurate 4

*****riechen,** roch, gerochen smell 2; **riechen** (an + *dat.*) smell (at) 3

der Riese, –n, –n giant 2

*****der Ring,** –es, –e ring 1

****der Rock,** –es, ¨e coat 1; **die Rocktasche,** –n coat pocket 2

****die Rose,** –n rose 1; **der Rosenbusch,** –es, ¨e rosebush 1; **das Rosenholz,** –es rosewood 4; **rosig** rosy 5

**rot red 1; das Rot the red 5
*der Rücken, –s, —, back 2
rückwärts backwards 5
**rufen, rief, gerufen call, shout 1
*ruhen rest 2; die Ruhe rest, quiet, calm 2; ruhig calm, still, quiet 3; zur Ruhe gehen go to rest (bed) 5
*rühren touch, stir, move 3
die Ruine, –n ruin 4
**rund round 3; rundlich plump 5

S

*die Sache, –n thing, affair 1
der Sack, –es, ⸚e sack, bag 3
**sagen say, tell 1; jemandem etwas leise ins Ohr sagen whisper gently in someone's ear 1
der Salat, –es, –e salad 3
*sammeln collect, gather 2
der Sarg, –es, ⸚e coffin 2
der Sattel, –s, ⸚, saddle 1
**der Satz, –es, ⸚e sentence 5; einen Satz zu Ende sprechen finish a sentence 5
*sauer sour 3
*schaden harm, damage 2
*das Schaf, –es, –e sheep 2
sich schämen be ashamed 4
**scharf (schärfer, schärfst) sharp, keen 2
der Schatten, –s, —, shadow, shade 5
*scheiden, schied, geschieden separate, divide 5; part; das Scheiden, –s parting 5
**scheinen, schien, geschienen shine; seem, appear 1

*schenken make a present of, give, present 1
**schicken send 2
*schieben, schob, geschoben shove, push 4
*schießen, schoß, geschossen (auf + acc.) shoot (at) 2
**das Schiff, –es, –e ship 2
das Schild, –es, –er sign-(board) 1
schimmern gleam, glitter 4; der Schimmer, –s gleam, glitter 4
**schlafen (schläft), schlief, geschlafen sleep 2; der Schlaf, –es sleep 2; in tiefem Schlaf sound asleep 2; das Schläfchen, –s, —, nap 4; das Schlafzimmer, –s, —, bedroom 5
**schlagen (schlägt), schlug, geschlagen strike, beat 1; der Schlag, –es, ⸚e blow, stroke, slap 4
*schlank slender 5
**schlecht bad, poor; wicked 1; schlechter worse 1
**schließen, schloß, geschlossen shut, close, lock 2
das Schloß, –sses, ⸚sser lock; castle 1; das Schloßzimmer, –s, —, room in a castle 1
*schmecken taste, have taste 2
*der Schmerz, –es, –en pain 4
der Schnabel, –s, ⸚, bill, beak 4
**der Schnee, –s snow 2; die Schneeflocke, –n snowflake 2; schneeweiß snow-white 2; Schneewittchen, –s Snow White 2
**schneiden, schnitt, geschnit-

44

ten cut 2; ſich ſchneiden cut oneself 1; ich ſchneide mich in die Finger I cut my fingers 1

der Schneider, –s, —, tailor 2

**ſchnell fast, quick, swift 1

ſchnupfen snuff 4

ſchnüren lace, tie up 2; das Schnürband, –es, ¨er lace 2

**ſchon already 1; ſchon wieder again 5

**ſchön beautiful 1; die Schönheit, –en beauty 4; die Schönſte the most beautiful, the fairest 2

*ſchrecken frighten 4; erſchrecken (erſchrickt), erſchrak, erſchrocken be frightened 4; der Schrecken, –s, —, fright 4; vor Schrecken with fright or fear 4; ſchrecklich terrible, frightful 4

**ſchreiben, ſchrieb, geſchrieben write 2

**ſchreien, ſchrie, geſchrie(e)n cry, shout, scream 2; das Schreien, –s crying, screaming, bawling 3

*ſchreiten, ſchritt, iſt geſchritten stride, step; walk, go 4

die Schrift, –en writing; document 4

**der Schuh, –es, –e shoe 2

*die Schuld, –en guilt 3; blame; debt; ſchulden owe 4

*die Schule, –n school 3; der Schüler, –s, —, pupil 3; das Schulgebäude, –s, —, school building 3

*die Schulter, –n shoulder 2

die Schüſſel, –n dish 2

der Schuß, –ſſes, ¨ſſe shot; ein Schuß fiel a shot was fired 4

ſchütteln shake 5; er ſchüttelte den Kopf he shook his head 5

der Schutz, –es protection 4

**ſchwach (ſchwächer, ſchwächſt) weak, feeble 4

**ſchwarz (ſchwärzer, ſchwärzeſt) black 2; ſchwarzbraun very dark brown 4; ſchwarzhaarig black-haired 2

**ſchweigen, ſchwieg, geſchwiegen be silent, keep quiet 4; das Schweigen, –s silence 4

*das Schwein, –es, –e pig 3; der Schweinehirt, –en, –en swineherd 3

der Schweiß, –es sweat, perspiration 5; der Schweißtropfen, –s, —, drop of sweat 5

**ſchwer heavy; difficult 2; das Schwerſte the heavieſt 2

**die Schweſter, –n sister 3

*ſchwierig difficult 4

**ſchwimmen, ſchwamm, iſt geſchwommen swim, float 1

*ſchwinden, ſchwand, iſt geſchwunden vanish, disappear 4

ſchwindlig dizzy 5; mir iſt ſchwindlig I am dizzy 5

ſchwören, ſchwor, geſchworen swear, take an oath 4

*ſechs six 2; ſechſt sixth 2

*ſechzig sixty 3

*die Seele, –n soul 5

45

**sehen (sieht), sah, gesehen see, look 1

**sehr very; much; very much 1

die Seide, –n silk 1; seiden of silk, silken 1

**sein (ist), war, ist gewesen be 1; wir sind unser zwei there are two of us 4; bist du es? is it you? 5

sein, seine, sein his, its 1

**seit (dat.) since, for 1

**die Seite, –n side; page 1

*selbst = selber self; even 2

**selten seldom; rare 3; seltsam strange, odd 4

**setzen set, put, place 1; sich setzen sit down 1

seufzen sigh, sob 4

sich himself, herself, itself, etc. 1

*sicher safe, secure, certain; steady 3

sie she, her, it 1

*sieben seven 2; siebent seventh 2

*siebzehn seventeen 3

*siebzig seventy 3

sind are 1

**singen, sang, gesungen sing 1

*sinken, sank, ist gesunken sink 3

**sitzen, saß, gesessen sit 1; sitzen=bleiben* keep one's seat, remain seated 5; der Sitz, –es, –e seat 3

**so so; thus; in this manner 1

**sobald wie as soon as 3

so viel wie as much as 1

das Sofa, –s sofa 4

*sogar even 2

*sogleich at once, immediately 1

**der Sohn, –es, ⸚e son 1

solange wie as long as 3

**solch such 1

**der Soldat, –en, –en soldier 2

*sollen (soll), sollte, gesollt shall; be to, ought to; be said to 1

sonderbar peculiar, queer 4

*sondern (conj.) but (after a negative) 2

**die Sonne, –n sun 1; sonnig sunny 5

*der Sonntag, –s, –e Sunday 3

sonst otherwise, or else 4; sonst etwas something else 5

*sorgen care 3; sich sorgen (um + acc.) worry (about) 3; die Sorge, –n care, worry 3; sorgen für provide for 5

soviel as much, as much as

sparen save (money) 3

**spät late 3

die Speise, –n food, dish 3; die süße Speise dessert 3

der Spiegel, –s, —, mirror, looking glass 2

**spielen play; gamble 1; das Spiel, –es, –e play; game 2

*die Spitze, –n point 1; spitz pointed 2

spöttisch mocking, ironical 4

die Sprache, –n language, tongue 3

**sprechen (spricht), sprach, gesprochen speak 2; sprechen (über + acc.) speak (of or about) 4

das Sprichwort, –es, ⸚er proverb 3

**springen, sprang, ist ge=

46

sprungen jump, leap, spring 2

die Stadt, ⸚e city, town 1

*der **Stall,** –es, ⸚e stable, stall 3

*der **Stamm,** –es, ⸚e stem, trunk 2

**ſtark (ſtärker, ſtärkſt) strong 2

**ſtatt = anſtatt (*gen.*) instead of, in place of 4

*ſtechen (ſticht) ſtach, geſtochen sting, prick 2

**ſtecken stick; put (in pocket) 1

**ſtehen, ſtand, geſtanden stand 1; ſtehen=bleiben* stop, stand still, remain standing 1

ſtehlen (ſtiehlt), ſtahl, ge=ſtohlen steal 3

**ſteigen, ſtieg, iſt geſtiegen climb, rise, mount 2

der **Stein, –es, –e stone, rock 1

**ſtellen place, put 3; die Stel= lung, –en position 4

**ſterben (ſtirbt), ſtarb, iſt ge= ſtorben die 1; das Sterbe= bett, –es, –en deathbed 5

der **Stich,** –es, –e stab 4

**ſtill still; quiet, silent, calm 1

**die Stimme, –n voice 1

*die Stirn, –en forehead 1

der **Stock,** –es, ⸚e stick, cane 2

*ſtolz proud 1; der Stolz, –es pride 2

der **Storch,** –es, ⸚e stork 4; die Storchenhaut, ⸚e skin of a stork 4; der Storch= fuß, –es, ⸚e foot of a stork 4; die Störchin, –nen fe= male stork 4

*ſtören disturb 4

*ſtoßen (ſtößt), ſtieß, geſtoßen push, thrust 2; der Stoß, –es, ⸚e push, thrust 2

*die Strafe, –n punishment 1

**die Straße, –n street, road 1; die Straßenbahn, –en tramway, streetcar 5

*ſtrecken stretch, extend 2

*ſtreichen, ſtrich, geſtrichen stroke 1; polish 5; der Streich, –(e)s, –e stroke 2; auf einen Streich at one blow 2

*ſtreiten, ſtritt, geſtritten quar= rel, dispute 2; der Streit, –es quarrel, dispute 2

*ſtreng stern, severe, strict, rigorous 1

der **Strich,** –es, –e stroke, line 3

der **Strick,** –es, –e rope 2
ſtricken embroider 4

*das **Stroh,** –s straw 4; das Strohbett, –s, –en straw bed 4

*der **Strom,** –es, ⸚e stream 1

*der **Strumpf,** –es, ⸚e stock= ing; hose 4

das **Stück, –es, –e piece 1; ein Stück Käſe a piece of cheese 2; ein Stück Kerze a piece of candle 4; ein Stück Wurſt a piece of sausage 3

*ſtudieren study 3; der Stu= dent, –en, –en student 3

der **Stuhl, –es, ⸚e chair 4

**die Stunde, –n hour; les= son 1

*der **Sturm,** –es, ⸚e storm, tempest 5

*ſich ſtürzen tumble; rush; fall 4

**ſuchen seek, look for 1

die **Suppe**, –n soup 1

**füß sweet 3

T

**der Tag, –es, –e day 1; am
Tage in the day(time) 3;
eines Tages one day 1

das **Tal**, –es, ̈er valley,
dale 4

der **Taler**, –s, —, German
silver coin = 3 marks 3

*die Tanne, –n fir tree 4

**die Tante, –n aunt 1

tanzen dance 1

die **Tapete**, –n wall paper 5

tapfer brave, valiant 2; die
Tapferkeit bravery, valor 2

**die Tasche, –n pocket 1

**die Tasse, –n cup 5

*tausend thousand 2; **tausendmal** (a) thousand
times 2

**der Tee, –s tea 3

**der Teil, –es, –e part, share,
portion 2

das **Telegramm**, –s, –e tele-
gram 3

**der Teller, –s, —, plate 2

**teuer dear, expensive 3

der **Theologe**, –n, –n theologian 3; die **Theologie** theology, divinity 3

der **Thron**, –es, –e throne 1

**tief deep 2; in tiefem Schlaf
sound asleep 2

**das Tier, –es, –e animal,
beast 2; der **Tierfreund**,
–es, –e friend of animals 3;
der **Tiergarten**, –s, ̈, zoo 2

**der Tisch, –es, –e table 1; bei
Tisch at (breakfast, dinner
or supper) table 1

der **Titel**, –s, —, title 1

**die Tochter, ̈, daughter 1

der **Tod**, –es, –e death 3; die
Todesgefahr, –en deadly
peril 4

*der Ton, –es, ̈e sound 4

das **Tor**, –es, –e gate 1

**töten kill 2; tot dead 1; der
Tote, –n, –n dead person
3; das **Totenkleid**, –es, –er
shroud 3

**tragen (trägt), trug, getragen
carry; wear; bear 1

die **Träne**, –n tear 3

*trauen trust 2

*trauern grieve; mourn 5;
traurig sad 1

*träumen dream 1; der
Traum, –es, ̈e dream 1

**treffen (trifft), traf, getroffen
meet; hit 3

*treiben, trieb, getrieben
drive 4

*trennen separate 5; die
Trennung, –en separation 5

*die Treppe, –n staircase,
stairs 4

*treten (tritt), trat, ist getreten step, walk 1

*treu faithful, loyal 2

**trinken, trank, getrunken
drink 1

der **Tritt**, –es, –e step 4

*trocken dry 4; sich trocknen
dry oneself 4

*trösten console 1; der **Trost**,
–es consolation 1

*trotz (*gen. or dat.*) in spite
of 5

das **Tuch**, –es, ̈er cloth; ker-
chief 2; der **Tuchfabrikant**,
–en, –en manufacturer of
cloth 3

**tun, tat, getan do, make 1

48

die Tür, –en door 1
der Turm, –es, ⸚e tower 1

U

*üb*üben** exercise, practice, drill 4; **die Übung, –en** exercise, practice 4

über (*dat. or acc.*) over, above; across 1

überall everywhere 5

über=fallen* attack suddenly 3; **der Überfall, –s, ⸚e** sudden attack 3

*über*überhaupt** at all 5

der Übermut, –s high spirits 5

*über*übersetzen** translate 4

die Uhr, –en watch, clock 3; **der Uhrmacher, –s, —,** watchmaker 3

um (*acc.*) around, about, at (o'clock) 1; **um Gottes willen = um des Himmels willen** 4 for heaven's sake 1; **um so mehr** so much the more 4; **um . . . willen** for the sake of 1; **um . . . zu** in order to 2

umarmen embrace 5

umher about, around 4; **umher=rollen** roll about 5; **umher=stehen*** stand around 4; **umher=tragen*** carry around 5

unangenehm disagreeable 4

und and 1

der Undank, –s ingratitude 5

unfreundlich unfriendly, unkind 3

das Unglück, –s, –e misfortune, bad luck 1; **unglücklich** unfortunate, unhappy 1

die Universität, –en university 3; **der Universitäts=sekretär, –s, –e** secretary of a university 3; **die Universitätsstadt, ⸚e** university town 3

unmöglich impossible 1

unruhig restless 3

die Unschuld innocence 5; **unschuldig** innocent 4

unser our 1

unten (*adv.*) below, downstairs 4

unter (*dat. or acc.*) under, below 1; among 3

unterbrechen (unterbricht), unterbrach, unterbrochen interrupt 5

die Unwahrheit, –en falsehood, lie 2

*das*das Urteil, –s, –e** judgment 3

V

*der*der Vater, –s, ⸚,** father 1

verbieten, verbot, verboten forbid, prohibit 1; **verboten** forbidden 1

die Verbindung, –en connection 4

verdecken cover 3

*ver*verdienen** earn; deserve, merit 3

vergeben, (vergibt), vergab, vergeben forgive, pardon 3

vergehen verging, ist vergangen pass 4

vergessen (vergißt), vergaß, vergessen forget 1

vergiften poison 2

sich verirren lose one's way 4

verkaufen sell 2

49

verlangen require, demand 1

verlassen (verläßt), verließ, verlassen leave, abandon 4

verlegen embarrassed 4

verlieren, verlor, verloren lose 2

das Vermögen, –s, —, fortune, wealth 5

sich verneigen (make a) bow, bend 4

verschließen, verschloß, verschlossen lock up 4

verschwinden*, verschwand, ist verschwunden see schwinden 4

versprechen verspricht), versprach, versprochen promise 2; das Versprechen, –s, —, promise 2; ein Versprechen halten keep a promise 2

verstehen, verstand, verstanden understand 1

versuchen try, attempt 1; der Versuch, –es, –e trial, attempt 1

das Vertrauen, –s, trust, confidence 3

*verwandeln transform 4; die Verwandlung, –en transformation 4

*verwandt related 3; der Verwandte relative 5

verzeihen, verzieh, verziehen = vergeben forgive, pardon 3

viel much 1; viele many 1

vielleicht perhaps, perchance 1

*vier four 1; viert fourth 2; das Viertelpfund, –es quarter of a pound 2

**der Vogel, –s, ̈, bird 1

*das Volk, –es, ̈er people, nation 3

voll full, filled 2; voller Arbeit (Sorge) full of work (worry) 5; voll Zucker full of sugar 3

*vollkommen complete, perfect 3

*vollständig complete 5

vom = von dem of the 1

**von (dat.) of, from 1; voneinander from one another 5

**vor (dat. or acc.) before, in front of; ago 1; vor einigen Tagen some days ago 3; vor zwei Jahren two years ago 5; vor vielen Jahren many years ago 3; vor langer Zeit a long time ago 3; vor wenigen Wochen a few weeks ago 4; vor sich hin sagen (sprechen) say (speak) to oneself 4

der Vorhang, –s, ̈e curtain 5

vorüber past, over 3

vorwärts forward, onward 5

W

*wachen watch, guard; be awake; sit up 2

**wachsen (wächst), wuchs, ist gewachsen grow (up) 2

*die Waffe, –n weapon 3

*wagen dare, risk, venture 5

**der Wagen, –s, —, wagon, cart; carriage 2

*wählen choose, select 3

**wahr true, real 2; die Wahrheit, –en truth 2

50

während (*gen.*) during; while 2

*wahrscheinlich probable, probably, likely 1

das Waisenhaus, -es, "-er orphan asylum 5

**der Wald, -es, "-er forest, woods 1; der Waldweg, -es, -e forest road, wood path 1; das Waldhaus, -es, "-er house in the forest 2

**die Wand, "-e wall (of room) 2

wandern wander, hike, travel, go 1; der Wanderer, -s, —, wanderer, hiker 1; des Weges wandern wander (hike) along the way 1

wann (*interrog.*) when 1

*die Ware, -n merchandise, goods 2

**warm (wärmer, wärmst) warm 1

warnen warn 2

**warten (auf + *acc.*) wait (for) 1; warten lassen let (allow to) wait, keep waiting 1

*=wärts *see* rückwärts, vorwärts

**warum why 1

**was (*interrog. pron.*) what 1; was für ein what kind of 3

waschen (wäscht), wusch, gewaschen wash 3

**das Wasser, -s, —, water 1

**weder ... noch neither ... nor 3

**der Weg, -es, -e road, path, way 1; des Weges kommen (wandern) come (wander) along the way 1; sich auf den Weg machen set out (on one's way) 3

wegen (*gen. or dat.*) on account of, because of 4

weh tun hurt, pain 2

*das Weib, -es, -er woman; wife 2

weich soft, mellow 2

** die) Weihnachten Christmas 5; der Weihnachtsbaum, -(e)s, "-e Christmas tree 5; die Weihnachtserzählung, -en Christmas story 5; das Weihnachtsgedicht, -(e)s, -e Christmas poem 5; zu Weihnachten at Christmas 5

**weil (*conj.*) because, since 2

**die Weile while; space of time, short time 1

**der Wein, -es, -e wine 1

*weinen weep, cry, shed tears 1

*die Weise, -n manner, way 4; auf diese (welche) Weise in this (what) way *or* manner 4

*weise wise, prudent, sage 1; die Weisheit, -en wisdom 3

**weiß white 1

**weit far, distant, wide 1; weiter on, further; (*with verbs*) continue to, on 1; weiter=eilen hasten on 4; weiter=sprechen* continue to speak 4; weiter=wandern continue to wander, wander on 1

*welcher, welche, welches which, what, who 1; welch ein what a 1

**die Welt, -en world 1

*wenden, wandte, gewandt turn 1

**wenig little 1; few; ein wenig a little 1; weniger less; am wenigsten least of all 4

**wenn if; when, whenever 1 wer who, he who, whoever 1; wer da? who goes there? 4

**werden (wird), wurde, ist geworden become; grow; turn; get; be 1

**werfen (wirft), warf, geworfen throw, hurl, cast 1

*das Werk, -es, -e work (of art or literature) 3; deed 4

*das Wesen, -s, —, being; essence; nature; character, manner, appearance 4

**das Wetter, -s, —, weather 5

*wichtig important 2

**wie how; as, like 1; wieviel how much 3

**wieder again 1 wieder=finden* find, meet (again) 5

**wiederholen repeat 4

*wiegen, wog, gewogen weigh 2

*die Wiese, -n meadow 4

**wild wild, savage 2; das Wildschwein, -es, -e wild boar 2

der Wille(n), -ns will 1 willkommen welcome 4

**der Wind, -es, -e wind 1

**der Winter, -s, —, winter 3; im Winter in winter 2 wir we 1

*wirken work, react, take effect 2

*wirklich real(ly), genuine 1

*der Wirt, -es, -e innkeeper, hotelkeeper 1; host; das Wirtshaus, -es, ̈-er inn, tavern 1

**wissen (weiß), wußte, gewußt know (a fact); have knowledge of 1

**wo where, at what place 1; woher whence, from what place 4; wohin whither, to what place 5

**die Woche, -n week 1

**wohl well; no doubt 4

*wohnen dwell, reside, live 1

*die Wohnung, -en dwelling, apartment 5; das Wohnzimmer, -s, —, living room 4

der Wolf, -es, ̈-e wolf 2

**wollen (will), wollte, gewollt want to, wish to, will 1

**das Wort, -es, -e or ̈-er word 1

*sich wundern wonder; be surprised 2 wunderschön wondrously beautiful, exquisite 1

**wünschen wish, desire 1; der Wunsch, -es, ̈-e wish, desire 1

die Wurst, ̈-e sausage 3

Z

*zahlen = bezahlen pay 3

*zählen count, number 3

*zahm tame 1

*der Zahn, -es, ̈-e tooth 4

*zart tender, delicate 5; zärtlich tender, affectionate 5 der Zauber, -s magic 4; der